ひと目でわかる

保育者・ソーシャルワーカーのための子ども家庭福祉データブック2025

一般社団法人全国保育士養成協議会　監修
宮島 清・山縣 文治　編集

中央法規

発刊にあたって

2023（令和５）年から、こども基本法とその理念を具体化するための省庁、こども家庭庁がスタートし、子ども家庭福祉の施策は新たな段階に入ってきています。日本の子ども家庭福祉の諸制度と施策を学ぶみなさんには、そのことを念頭においた学習をお願いしたいのですが、実は2022（令和４）年に、子ども家庭福祉を新たな段階に発展させるために、主として児童福祉法（一部は母子保健法）の改正が行われました。そのポイントは多くあります。これからの子ども家庭福祉を学ぶみなさんにはぜひ知っておいていただきたいことですので、ここで簡単に説明しておきます。

１番目は、すべての妊産婦・子育て世帯・そして子どもの相談支援を包括的に行う施設として「こども家庭センター」の設置を市区町村に努力義務として課したことです。キーワードは「包括的」です。可能な限りすべてのことを扱うという意味です。

２番目は、ホームスタート等をモデルとした「訪問支援」を制度化することです。各家庭に直接行って、家事支援、育児・養育支援、悩みへの傾聴等を行うことが任務になっています。

３番目は子ども食堂のような、生活困窮度の高い子どもへの支援をしているところに運営費等の経費補助を行うことです。

４番目は、子どもとのかかわり方がよくわからないという保護者に対して、親子関係形成のための支援事業が始まることです。講義やグループワーク、ロールプレイ等で学びます。

５番目は、障害のある子どもが支援を受ける児童発達支援センターについて、医療型と福祉型という区別をなくし、一本化することです。

６番目は、子どもを一時的に預かる児童相談所の一時保護所の改善を求める声が多かったため、児童の権利に配慮した環境の改善を図ります。

７番目は、特定妊婦（困難をかかえている妊産婦）への住居提供や食事提供、情報提供等を行う妊産婦等生活援助事業が始まることです。

８番目は、児童養護施設や障害児入所施設は、原則18歳の年齢が来ると退所しなければならないのですが、児童養護施設については措置解除後に利用する児童自立生活援助事業の年齢要件が弾力化され、障害児入所施設は22歳満了時まで入所できるように変更されたことです。

９番目は、児童虐待のおそれのある子どもを一時保護するとき、裁判官に一時保護状を請求するという手続きを設け、適切な実施のために司法による審査を導入することです。

もっとたくさんありますが、これだけでも、子ども家庭福祉の具体化は、社会の実情に合わせてどんどん柔軟化、弾力化していることがわかるでしょう。本書では紙数の許す限り、新しい施策についても説明していますので、よく学び、活用していただきたいと思っています。

最後になりましたが、今年も編集の労をとってくださった先生方、出版の機会をご提供くださった中央法規出版の皆様に厚くお礼申し上げます。

一般社団法人 全国保育士養成協議会

会長　汐見 稔幸

目　次

❶ 総論

❷ 母子保健の施策

❸ 保育の施策

❹ 地域の子ども家庭のための施策

❺ 社会的養護を必要とする子どもと家庭への施策

❻ 児童虐待防止のための施策

❼ ひとり親家庭・女性への施策

❽ 障害のある子どもと家庭への施策

❾ 子どもの貧困に対する施策

[参考] 保育士の役割と基礎データ

子ども家庭福祉の理念と課題

児童福祉法（昭和 22 年法律第 164 号）

（最終改正：令和６年６月 12 日法律第 47 号）

児童の福祉を保障するための原理

第１条　全て児童は、児童の権利に関する条約の精神にのっとり、適切に養育されること、その生活を保障されること、愛され、保護されること、その心身の健やかな成長及び発達並びにその自立が図られることその他の福祉を等しく保障される権利を有する。

児童育成の責任

第２条　全て国民は、児童が良好な環境において生まれ、かつ、社会のあらゆる分野において、児童の年齢及び発達の程度に応じて、その意見が尊重され、その最善の利益が優先して考慮され、心身ともに健やかに育成されるよう努めなければならない。

２　児童の保護者は、児童を心身ともに健やかに育成することについて第一義的責任を負う。

３　国及び地方公共団体は、児童の保護者とともに、児童を心身ともに健やかに育成する責任を負う。

原理の尊重

第３条　前２条に規定するところは、児童の福祉を保障するための原理であり、この原理は、すべて児童に関する法令の施行にあたって、常に尊重されなければならない。

日本の子ども家庭福祉施策は、1947（昭和 22）年に公布された「児童福祉法」と 2022（令和４）年に公布された「こども基本法」を基本とし、関連する各種法律に基づいて推進されています。

全ての児童、すなわち要支援・要保護の子どもたちも含め、ひとりも漏れることなく全ての子どもに、ここに示された権利を保障することが緊急かつ重要な国民的課題となっています。

この課題を達成するため、保護者とともに、国、地方公共団体は相互に力を合わせながら子ども家庭福祉の向上に努めています。

こども基本法（令和４年法律第 77 号）

こども基本法は、こども施策を社会全体で総合的かつ強力に推進していくための包括的な基本法として、2022（令和４）年６月に成立し、2023（令和５）年４月に施行されました。

こども基本法は、日本国憲法及び児童の権利に関する条約の精神にのっとり、全てのこどもが、将来にわたって幸福な生活を送ることができる社会の実現を目指し、こども施策を総合的に推進することを目的としています。同法は、こども施策の基本理念のほか、こども大綱の策定やこども等の意見の反映などについて定めています。

こども基本法の概要

目　的

日本国憲法及び児童の権利に関する条約の精神にのっとり、次代の社会を担う全てのこどもが、生涯にわたる人格形成の基礎を築き、自立した個人としてひとしく健やかに成長することができ、こどもの心身の状況、置かれている環境等にかかわらず、その権利の擁護が図られ、将来にわたって幸福な生活を送ることができる社会の実現を目指して、こども施策を総合的に推進する。

基本理念

①全てのこどもについて、個人として尊重されること・基本的人権が保障されること・差別的取扱いを受けることがないようにすること
②全てのこどもについて、適切に養育されること・生活を保障されること・愛され保護されること等の福祉に係る権利が等しく保障されるとともに、教育基本法の精神にのっとり教育を受ける機会が等しく与えられること
③全てのこどもについて、年齢及び発達の程度に応じ、自己に直接関係する全ての事項に関して意見を表明する機会・多様な社会的活動に参画する機会が確保されること
④全てのこどもについて、年齢及び発達の程度に応じ、意見の尊重、最善の利益が優先して考慮されること
⑤こどもの養育は家庭を基本として行われ、父母その他の保護者が第一義的責任を有するとの認識の下、十分な養育の支援・家庭での養育が困難なこどもの養育環境の確保
⑥家庭や子育てに夢を持ち、子育てに伴う喜びを実感できる社会環境の整備

責務等

●国・地方公共団体の責務
●事業主・国民の努力

白書・大綱

●年次報告（法定白書）、こども大綱の策定
（※少子化社会対策／子ども・若者育成支援／子どもの貧困対策の既存の３法律の白書・大綱と一体的に作成）

基本的施策

●施策に対するこども・子育て当事者等の意見の反映
●支援の総合的・一体的提供の体制整備
●関係者相互の有機的な連携の確保
●この法律・児童の権利に関する条約の周知
●こども大綱による施策の充実及び財政上の措置等

こども政策推進会議

●こども家庭庁に、内閣総理大臣を会長とする、こども政策推進会議を設置
①大綱の案を作成
②こども施策の重要事項の審議・こども施策の実施を推進
③関係行政機関相互の調整等
●会議は、大綱の案の作成に当たり、こども・子育て当事者・民間団体等の意見反映のために必要な措置を講ずる

附　則

施行期日：令和５年４月１日
検　　討：国は、施行後５年を目途として、基本理念にのっとったこども施策の一層の推進のために必要な方策を検討

こども家庭庁　資料

check! こども家庭庁のホームページでは、すべてのこどもとおとなに対してこども家庭庁への理解を進めるために、２種類のパンフレットと２種類の動画が公開されている。是非活用しよう。

● こども家庭庁ホームページ「こども基本法」
➡ https://www.cfa.go.jp/policies/kodomo-kihon/

児童の権利に関する条約

「児童の権利に関する条約」は、子どもの人権について具体的に記述し、これを保障します。

子どもには、生きる権利があり、発達する権利があります。子どもは、名前をもち、生を受けた後すみやかに登録されます。可能な限り父母によって養育され、本人と父母の意に反して分離されません。自分らしさを保ち、差別されず、必要な社会保障・教育・医療を受けることができます。信仰や表現の自由をもち、余暇を楽しみ、プライバシーが守られ、虐待や搾取を受けません。そして、必要な場合には、適切な保護を受けることができます。その成長に応じて自己の意見を表明（注1）し、自らに関わるすべての決定に参加することができます。そこでは、常に児童の最善の利益が考慮され、かつ、めざされます。これにより、すべての子どもは権利の主体とされ、個人として尊ばれます。これらの権利は、保護者と締約国と国際社会によって守られます。

「児童の権利に関する条約」は、1989 年に国連総会で採択されました。日本政府は、その 5 年後の 1994（平成 6）年に批准・締結しました。締約国である日本は、この条約を守り、ここに記された子どもの権利を認め、一人ひとりの子どもが、これらの権利を行使できるように努力し続けることを約束しています。

この条約は、締約国に対して、5年ごとに、国連内においた「子どもの権利委員会」に国内の状況を報告することを求めています。この報告は、NGOなどからの報告と照らされ、審査され、その結果に基づく所見や勧告が示されます。日本政府は2016（平成28）年までに3回の報告を行い、3回の所見を受け取っていました。そして2017（平成29）年6月には第4回・第5回（統合）の報告を提出し、これに対する総括所見が2019年1月〜2月を会期とする委員会で採択されました。（注2）

注 1：この権利は、「意見表明権」と表現されます。当然のこととして、乳児にも、障害のある子どもにも、何らかのトラブルを起こした子どもにも保障されます。

注 2：外務省 HP を参照（原文英語、日本語仮訳。2019 年 3 月5日配布）。

児童の権利に関する条約（抜粋）

第 1 条

この条約の適用上、児童とは、18 歳未満のすべての者をいう。ただし、当該児童で、その者に適用される法律によりより早く成年に達したものを除く。

第 2 条

1　締約国は、その管轄の下にある児童に対し、児童又はその父母若しくは法定保護者の人種、皮膚の色、性、言語、宗教、政治的意見その他の意見、国民的、種族的若しくは社会的出身、財産、心身障害、出生又は他の地位にかかわらず、いかなる差別もなしにこの条約に定める権利を尊重し、及び確保する。

2　締約国は、児童がその父母、法定保護者又は家族の構成員の地位、活動、表明した意見又は信念によるあらゆる形態の差別又は処罰から保護されることを確保するためのすべての適当な措置をとる。

第 3 条

1　児童に関するすべての措置をとるに当たっては、公的若しくは私的な社会福祉施設、裁判所、行政当局又は立法機関のいずれによって行われるものであっても、児童の最善の利益が主として考慮されるものとする。

2　締約国は、児童の父母、法定保護者又は児童について法的に責任を有する他の者の権利及び義務を考慮に入れて、児童の福祉に必要な保護及び養護を確保することを約束し、このため、すべての適当な立法上及び行政上の措置をとる。

3　締約国は、児童の養護又は保護のための施設、役務の提供及び設備が、特に安全及び健康の分野に関し並びにこれらの職員の数及び適格性並びに適正な監督に関し権限のある当局の設定した基準に適合することを確保する。

第４条

締約国は、この条約において認められる権利の実現のため、すべての適当な立法措置、行政措置その他の措置を講ずる。締約国は、経済的、社会的及び文化的権利に関しては、自国における利用可能な手段の最大限の範囲内で、また、必要な場合には国際協力の枠内で、これらの措置を講ずる。

第５条

締約国は、児童がこの条約において認められる権利を行使するに当たり、父母若しくは場合により地方の慣習により定められている大家族若しくは共同体の構成員、法定保護者又は児童について法的に責任を有する他の者がその児童の発達しつつある能力に適合する方法で適当な指示及び指導を与える責任、権利及び義務を尊重する。

第６条

1　締約国は、すべての児童が生命に対する固有の権利を有することを認める。

2　締約国は、児童の生存及び発達を可能な最大限の範囲において確保する。

第７条

1　児童は、出生の後直ちに登録される。児童は、出生の時から氏名を有する権利及び国籍を取得する権利を有するものとし、また、できる限りその父母を知りかつその父母によって養育される権利を有する。

2　締約国は、特に児童が無国籍となる場合を含めて、国内法及びこの分野における関連する国際文書に基づく自国の義務に従い、1の権利の実現を確保する。

第８条

1　締約国は、児童が法律によって認められた国籍、氏名及び家族関係を含むその身元関係事項について不法に干渉されることなく保持する権利を尊重することを約束する。

2　締約国は、児童がその身元関係事項の一部又は全部を不法に奪われた場合には、その身元関係事項を速やかに回復するため、適当な援助及び保護を与える。

第９条

1　締約国は、児童がその父母の意思に反してその父母から分離されないことを確保する。ただし、権限のある当局が司法の審査に従うことを条件として適用のある法律及び手続に従いその分離が児童の最善の利益のために必要であると決定する場合は、この限りでない。このような決定は、父母が児童を虐待し若しくは放置する場合又は父母が別居しており児童の居住地を決定しなければならない場合のような特定の場合において必要となることがある。

2　すべての関係当事者は、1の規定に基づくいかなる手続においても、その手続に参加しかつ自己の意見を述べる機会を有する。

3　締約国は、児童の最善の利益に反する場合を除くほか、父母の一方又は双方から分離されている児童が定期的に父母のいずれとも人的な関係及び直接の接触を維持する権利を尊重する。

4　3の分離が、締約国がとった父母の一方若しくは双方又は児童の抑留、拘禁、追放、退去強制、死亡（その者が当該締約国により身体を拘束されている間に何らかの理由により生じた死亡を含む。）等のいずれかの措置に基づく場合には、当該締約国は、要請に応じ、父母、児童又は適当な場合には家族の他の構成員に対し、家族のうち不在となっている者の所在に関する重要な情報を提供する。ただし、その情報の提供が児童の福祉を害する場合は、この限りでない。締約国は、更に、その要請の提出自体が関係者に悪影響を及ぼさないことを確保する。

第10条

1　前条1の規定に基づく締約国の義務に従い、家族の再統合を目的とする児童又はその父母による締約国への入国又は締約国からの出国の申請については、締約国が積極的、人道的かつ迅速な方法で取り扱う。締約国は、更に、その申請の提出が申請者及びその家族の構成員に悪影響を及ぼさないことを確保する。

2　父母と異なる国に居住する児童は、例外的な事情がある場合を除くほか定期的に父母との人的な関係及び直接の接触を維持する権利を有する。このため、前条1の規定に基づく締約国の義務に従い、締約国は、児童及びその父母がいずれの国（自国を含む。）からも出国し、かつ、自国に入国する権利を尊重する。出国する権利は、法律で定められ、国の安全、公の秩序、公衆の健康若しくは道徳又は他の者の権利及び自由を保護するために必要であり、かつ、この条約において認められる他の権利と両立する制限にのみ従う。

第11条

1　締約国は、児童が不法に国外へ移送されることを防止し及び国外から帰還することができない事態を除去するための措置を講ずる。

2　このため、締約国は、二国間若しくは多数国間の協定の締結又は現行の協定への加入を促進する。

第12条

1　締約国は、自己の意見を形成する能力のある児童がその児童に影響を及ぼすすべての事項について自由に自己の意見を表明する権利を確保する。この場合において、児童の意見は、その児童の年齢及び成熟度に従って相応に考慮されるものとする。

2　このため、児童は、特に、自己に影響を及ぼすあらゆる司法上及び行政上の手続において、国内法の手続規則に合致する方法により直接に又は代理人若しくは適当な団体を通じて聴取される機会を与えられる。

こども大綱

2023（令和５）年 12 月 22 日、こども基本法に基づき、こども政策を総合的に推進するため、政府全体のこども施策の基本的な方針等を定める「こども大綱」が閣議決定されました。こども家庭庁のリーダーシップの下、「こども大綱」に基づき、政府全体のこども施策を推進していくとされています。

こども大綱には、①こども施策に関する基本的な方針、②こども施策に関する重要事項、③こども施策を推進するために必要な事項が定められています。その際、少子化社会対策基本法に規定する総合的かつ長期的な少子化に対処するための施策、子ども・若者育成支援推進法に掲げる事項、こどもの貧困の解消に向けた対策の推進に関する法律に掲げる事項を必ず含めることとされています。

こども施策に関する基本的な方針

日本国憲法、こども基本法及びこどもの権利条約の精神にのっとり、以下の６本の柱を基本的な方針とする。

⑴こども・若者を権利の主体として認識し、その多様な人格・個性を尊重し、権利を保障し、こども・若者の今とこれからの最善の利益を図る

- こども・若者は、保護者や社会の支えを受けながら、自立した個人として自己を確立していく意見表明・参画と自己選択・自己決定・自己実現の主体であり、生まれながらに権利の主体。多様な人格を持った個として尊重し、その権利を保障し、こども・若者の今とこれからにとっての最善の利益を図る。「こどもとともに」という姿勢で、こどもや若者の自己選択・自己決定・自己実現を社会全体で後押し。
- 成育環境等によって差別的取扱いを受けることのないようにする。虐待、いじめ、暴力等からこどもを守り、救済する。

⑵こどもや若者、子育て当事者の視点を尊重し、その意見を聴き、対話しながら、ともに考えていく

- こども・若者が、自らのことについて意見を形成し、その意見を表明することや、社会に参画することができるようにし、こども・若者の最善の利益を実現する観点からこども・若者の意見を年齢や発達の程度に応じて尊重する。
- 意見表明・社会参画する上でも欠かせない意見形成への支援を進め、意見を表明しやすい環境づくりを行う。困難な状況に置かれたこども・若者や様々な状況にあって声を聴かれにくいこどもや若者等について十分な配慮を行う。

⑶こどもや若者、子育て当事者のライフステージに応じて切れ目なく対応し、十分に支援する

- こども・若者の状況に応じて必要な支援が特定の年齢で途切れることなく行われ、自分らしく社会生活が送れるようになるまでを社会全体で切れ目なく支える。
- 「子育て」とは、こどもの誕生前から男女ともに始まっており、乳幼児期の後も、学童期、思春期、青年期を経て、おとなになるまで続くものとの認識の下、ライフステージを通じて、社会全体で子育て当事者を支えていく。

⑷良好な成育環境を確保し、貧困と格差の解消を図り、全てのこども・若者が幸せな状態で成長できるようにする

- 乳幼児期からの安定した愛着（アタッチメント）の形成を保障するとともに、愛着を土台として、全てのこども・若者が、相互に人格と個性を尊重されながら、安全で安心して過ごせる多くの居場所を持ち、様々な学びや多様な体験活動・外遊びの機会を得ることを通じて、自己肯定感や自己有用感を高め、幸せな状態で成長し、尊厳が重んぜられ、自分らしく社会生活を営むことができるように取り組む。
- 困難な状況にあるこども・若者や家庭を誰一人取り残さず、その特性や支援ニーズに応じてきめ細かい支援や合理的配慮を行う。

⑸若い世代の生活の基盤の安定を図るとともに、多様な価値観・考え方を大前提として若い世代の視点に立って結婚、子育てに関する希望の形成と実現を阻む隘路の打破に取り組む

- 若い世代が「人生のラッシュアワー」と言われる様々なライフイベントが重なる時期において、社会の中で自らを活かす場を持つことができ、現在の所得や将来の見通しを持てるようにする。
- 多様な価値観・考え方を尊重することを大前提とし、どのような選択をしても不利を被らないようにすることが重要。その上で、若い世代の意見に真摯に耳を傾け、その視点に立って、若い世代が、自らの主体的な選択により、結婚し、こどもを産み、育てたいと望んだ場合に、それぞれの希望に応じて社会全体で支えていく。共働き・共育てを推進し、育児負担が女性に集中している実態を変え、男性の家事や子育てへの参画を促進する。

⑹施策の総合性を確保するとともに、関係省庁、地方自治体、民間団体等との連携を重視する

こども施策に関する重要事項

「こどもまんなか社会」を実現するための重要事項を、こども・若者の視点に立って分かりやすく示すため、ライフステージ別に提示。

1 ライフステージを通した重要事項

●こども･若者が権利の主体であることの社会全体での共有等（こども基本法の周知、こどもの教育、養育の場におけるこどもの権利に関する理解促進等）
●多様な遊びや体験、活躍できる機会づくり（遊びや体験活動の推進、生活習慣の形成･定着、こどもまんなかまちづくり等）
●こどもや若者への切れ目のない保健・医療の提供（成育医療等に関する研究や相談支援等、慢性疾病・難病を抱えるこども・若者への支援）
●こどもの貧困対策（教育の支援、生活の安定に資するための支援、保護者の就労支援、経済的支援）
●障害児支援･医療的ケア児等への支援（地域における支援体制の強化、インクルージョンの推進、特別支援教育等）
●児童虐待防止対策と社会的養護の推進及びヤングケアラーへの支援（児童虐待防止対策等の更なる強化、社会的養護を必要とするこども・若者に対する支援、ヤングケアラーへの支援）
●こども・若者の自殺対策、犯罪などからこども・若者を守る取組（こども・若者の自殺対策、インターネット利用環境整備、性犯罪・性暴力対策等）

2 ライフステージ別の重要事項

●こどもの誕生前から幼児期まで

　こどもの将来にわたるウェルビーイングの基礎を培い、人生の確かなスタートを切るための最も重要な時期。

・妊娠前から妊娠期、出産、幼児期までの切れ目ない保健･医療の確保･こどもの誕生前から幼児期までのこどもの成長の保障と遊びの充実

●学童期･思春期

　学童期は、こどもにとって、身体も心も大きく成長する時期であり、自己肯定感や道徳性、社会性などを育む時期。

　思春期は、性的な成熟が始まり、それに伴って心身が変化し、自らの内面の世界があることに気づき始め、他者との関わりや社会との関わりの中で、自分の存在の意味、価値、役割を考え、アイデンティティを形成していく時期。

・こどもが安心して過ごし学ぶことのできる質の高い公教育の再生等･居場所づくり
・小児医療体制、心身の健康等についての情報提供やこころのケアの充実･成年年齢を迎える前に必要となる知識に関する情報提供や教育
・いじめ防止･不登校のこどもへの支援･校則の見直し･体罰や不適切な指導の防止･高校中退の予防、高校中退後の支援

●青年期

　大学等への進学や就職に伴い新たな環境に適応し、専門性や職業性を身に付け、将来の夢や希望を抱いて自己の可能性を伸展させる時期。

・高等教育の修学支援、高等教育の充実･就労支援、雇用と経済的基盤の安定･結婚を希望する方への支援、結婚に伴う新生活への支援
・悩みや不安を抱える若者やその家族に対する相談体制の充実

3 子育て当事者への支援に関する重要事項

　子育て当事者が、経済的な不安や孤立感を抱いたり、仕事との両立に悩んだりすることなく、また、過度な使命感や負担を抱くことなく、健康で、自己肯定感とゆとりを持って、こどもに向き合えるようにする。

●子育てや教育に関する経済的負担の軽減
●地域子育て支援、家庭教育支援
●共働き・共育ての推進、男性の家事・子育てへの主体的な参画促進・拡大
●ひとり親家庭への支援

こども施策を推進するために必要な事項

1　こども・若者の社会参画・意見反映

　こども基本法において、こども施策の基本理念として、こども・若者の年齢及び発達の程度に応じた意見表明機会と社会参画機会の確保、その意見の尊重と最善の利益の優先考慮が定められている。また、こども施策を策定、実施、評価するに当たって、こども・若者の意見を幅広く聴取して反映させるために必要な措置を講ずることが国や地方公共団体に義務付けられている。こどもの権利条約は、児童（18 歳未満の全ての者）の意見を表明する権利を定めており、その実践を通じた権利保障を推進することが求められる。

　こどもや若者の意見を聴いて施策に反映することやこどもや若者の社会参画を進めることには、大きく、2つの意義がある。

(1)　こどもや若者の状況やニーズをより的確に踏まえることができ、施策がより実効性のあるものになる。

(2)　こどもや若者にとって、自らの意見が十分に聴かれ、自らによって社会に何らかの影響を与える、変化をもたらす経験は、自己肯定感や自己有用感、社会の一員としての主体性を高めることにつながる。ひいては、民主主義の担い手の育成に資する。

　こどもや若者とともに社会をつくるという認識の下、安心して意見を述べることができる場や機会をつくるとともに、意見を持つための様々な支援を行い、社会づくりに参画できる機会を保障することが重要。その際、こどもや若者の社会参画・意見反映は形だけに終わる懸念があることを認識して、様々な工夫を積み重ねながら、実効性のあるものとしていくことが必要。

●国の政策決定過程へのこども・若者の参画促進（『こども若者★いけんぷらす』の推進、若者が主体となって活動する団体からの意見聴取、各府省庁の各種審議会･懇談会等の委員へのこども･若者の登用、行政職員向けガイドラインの作成・周知）
●地方公共団体等における取組促進

　（上記ガイドラインの周知やファシリテーターの派遣等の支援、好事例の横展開等の情報提供等）

●社会参画や意見表明の機会の充実
●多様な声を施策に反映させる工夫
●社会参画・意見反映を支える人材の育成
●若者が主体となって活動する団体等の活動を促進する環境整備
●こども・若者の社会参画や意見反映に関する調査研究

2　こども施策の共通の基盤となる取組

●「こどもまんなか」の実現に向けたEBPM（仕組み・体制の整備、データの整備・エビデンスの構築）
●こども・若者、子育て当事者に関わる人材の確保・育成・支援
●地域における包括的な支援体制の構築・強化（要保護児童対策地域協議会と子ども・若者支援地域協議会の活用、こども家庭センターの全国展開等）
●子育てに係る手続き・事務負担の軽減、必要な支援を必要な人に届けるための情報発信
●こども・若者、子育てにやさしい社会づくりのための意識改革

3　施策の推進体制等

●国における推進体制（総理を長とするこども政策推進会議、こどもまんなか実行計画の策定、担当大臣やこども家庭審議会の権限行使等）
●数値目標と指標の設定
●自治体こども計画の策定促進、地方公共団体との連携
●国際的な連携・協力
●安定的な財源の確保
●こども基本法附則第２条に基づく検討

12 ～ 13 頁の表：こども家庭庁「こども大綱（説明資料）」令和５年12月22日

1 総論

（1）子ども家庭の動向

2008（平成20）年をピークに日本の人口は減少しています。また、少子高齢化が進み、1990年代から顕著に15～64歳の労働人口が減少しています。

このような状況のもとで、労働力の減少と、男女の雇用機会の均等が進んだこと等から、相対的に女性の就業率が上昇する傾向にあります。平成30年度から令和4年度までの5年間で、女性就業率80%に対応できる保育の受け皿づくりが進みました。また、近年日本人が減少する一方で外国人が増加しています（2013（平成25）年からの10年間で約130万人増。2022（令和4）年には、合計約341万人）。

1 2023 年の人口構成

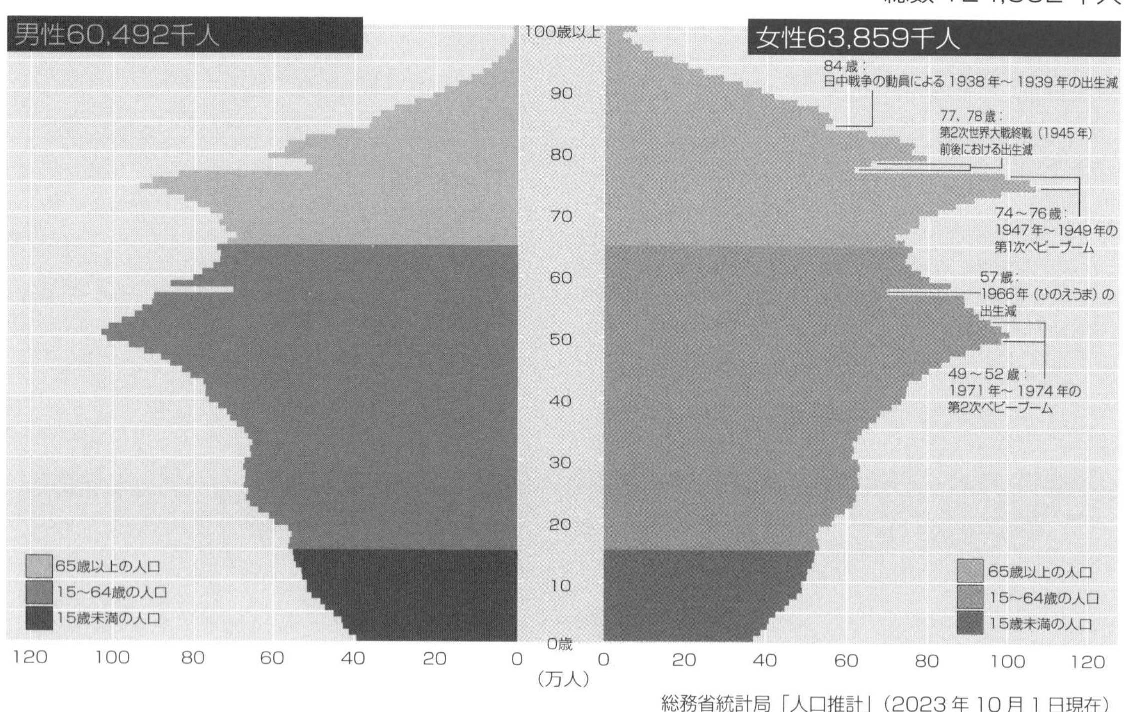

総務省統計局「人口推計」（2023 年 10 月 1 日現在）

check! 現在の日本の人口構成は、高齢者が増えて子どもが減る「少子高齢化」が進んでいる。高齢化率（65 歳以上人口の比率）は 2023 年で 29.1% と 3.5 人に 1 人以上が高齢者となっており、世界的にみて極めて高水準である。

2 わが国の高齢化の推移と見通し

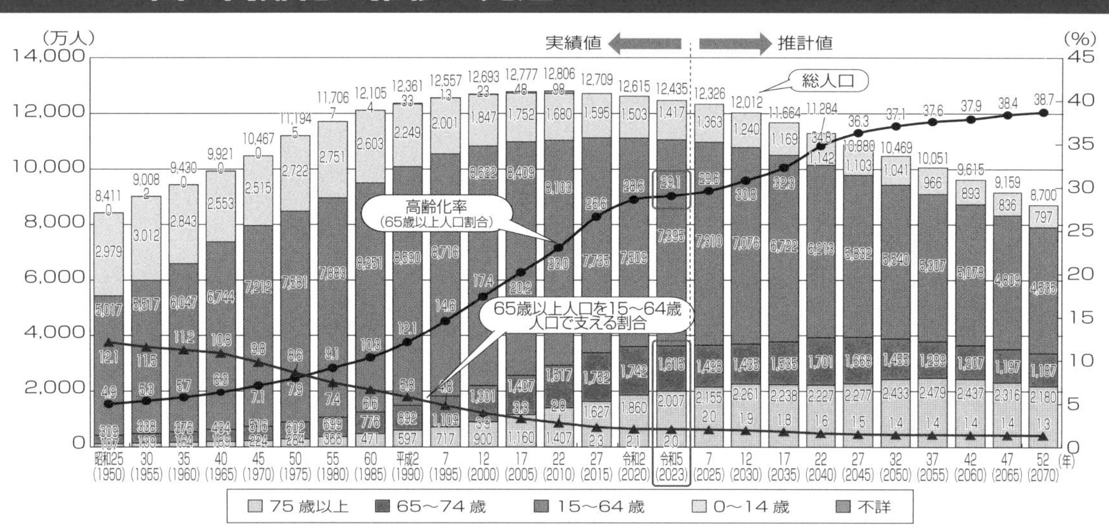

資料：棒グラフと実線の高齢化率については、2020年までは総務省「国勢調査」(2015年及び2020年は不詳補完値による。)、2023年は総務省「人口推計」(令和5年10月1日現在（確定値))、2025年以降は国立社会保障・人口問題研究所「日本の将来推計人口（令和5年推計)」の出生中位・死亡中位仮定による推計結果

(注1) 2015年及び2020年の年齢階級別人口は不詳補完値によるため、年齢不詳は存在しない。2023年の年齢階級別人口は、総務省統計局「令和2年国勢調査」(不詳補完値）の人口に基づいて算出されていることから、年齢不詳は存在しない。2025年以降の年齢階級別人口は、総務省統計局「令和2年国勢調査 参考表：不詳補完結果」による年齢不詳をあん分した人口に基づいて算出されていることから、年齢不詳は存在しない。なお、1950年～2010年の高齢化率の算出には分母から年齢不詳を除いている。ただし、1950年及び1955年において割合を算出する際には、(注2）における沖縄県の一部の人口を不詳には含めないものとする。

(注2) 沖縄県の昭和25年70歳以上の外国人136人(男55人、女81人)及び昭和30年70歳以上23,328人(男8,090人、女15,238人)は65歳以上の人口から除き、不詳に含めている。

(注3) 将来人口推計とは、基準時点までに得られた人口学的データに基づき、それまでの傾向、趨勢を将来に向けて投影するものである。基準時点以降の構造的な変化等により、推計以降に得られる実績や新たな将来推計との間には乖離が生じうるものであり、将来推計人口はこのような実績等を踏まえて定期的に見直すこととしている。

(注4) 四捨五入のため合計は必ずしも一致しない。

内閣府「令和6年版　高齢社会白書」を一部改変

3 出生の動向

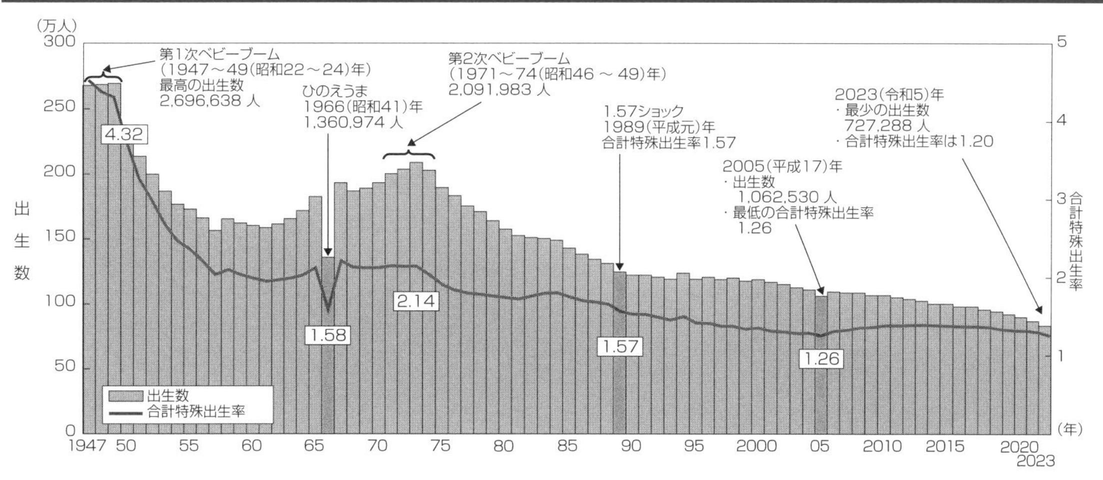

厚生労働省「人口動態統計」より作成

check! 合計特殊出生率とは、「15～49歳までの女性の年齢別出生率を合計したもの」で、一人の女性が一生の間に生む子どもの数に相当するものとされている。人口を維持するためには2.07が必要とされる。2005年に最低を記録して以降は微増傾向にあったが、2017年以降はふたたび下降を続けている。

4 家族の姿の変化

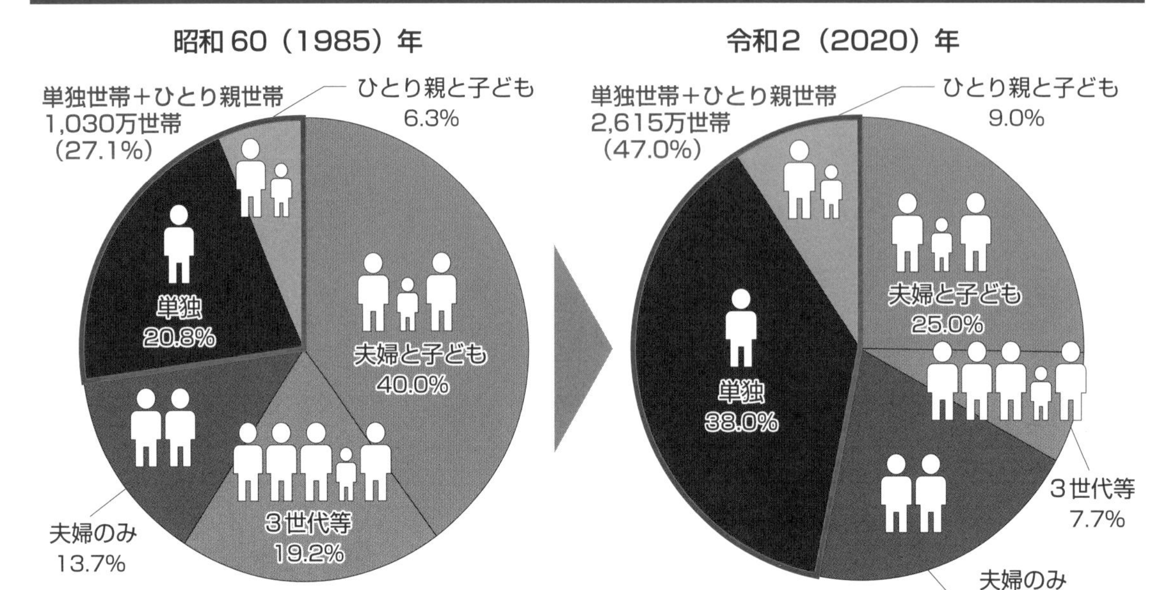

（備考）1)総務省「国勢調査」より作成。
2)一般世帯に占める比率。施設等に入っている人は含まれない。「3世代等」は、親族のみの世帯のうちの核家族以外の世帯と、非親族を含む世帯の合算。
3)「子」とは親族内の最も若い「夫婦」からみた「子」にあたる続柄の世帯員であり、成人を含む。

内閣府「男女共同参画白書 令和5年版」

check! 過去 35 年間で日本の家族の姿は大きく変化した。単独世帯の割合が大きくなり、夫婦と子ども、夫婦のみの家族がそれぞれ 20% 以上となった。3 世代等で同居する家族は 10% 未満となっている。

5 子どものいる世帯の減少等

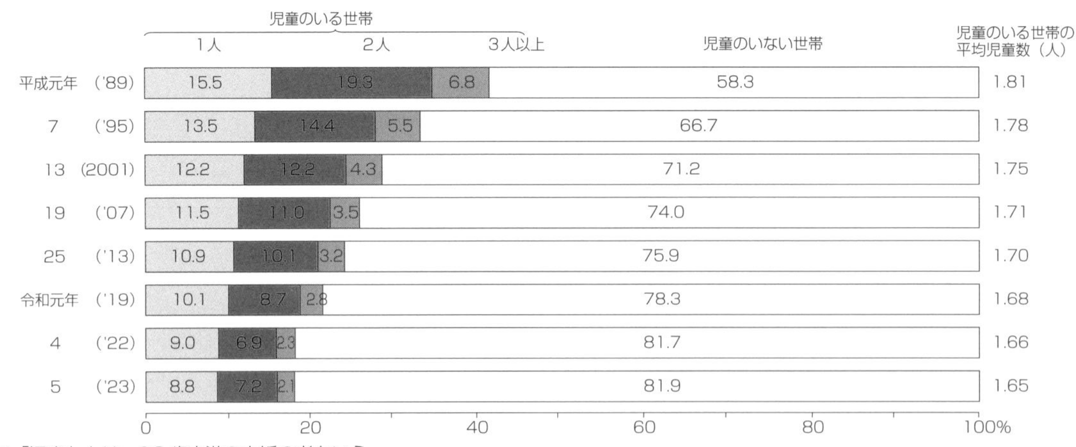

※「児童」とは、18 歳未満の未婚の者をいう。

厚生労働省「国民生活基礎調査」より作成

check! 過去 30 数年の間に、子どものいる世帯は急速に減少した。近年は全体の 20%あまりで推移していたが、2022 年には初めて 20% を割り込んだ。

6 婚姻と離婚等

①婚姻・離婚・再婚件数の年次推移

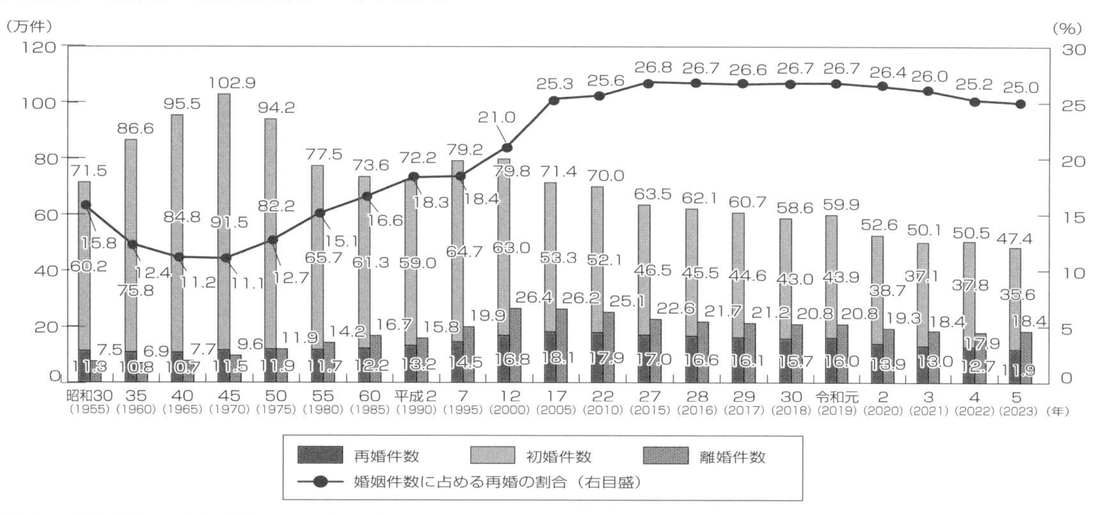

（備考） 厚生労働省「人口動態統計」より作成。

内閣府「男女共同参画白書 令和４年版」を一部改変

check! 離婚件数は概ね横ばいである。婚姻件数に占める再婚の割合が高まり、全体の４分の１以上である。

②平均初婚年齢

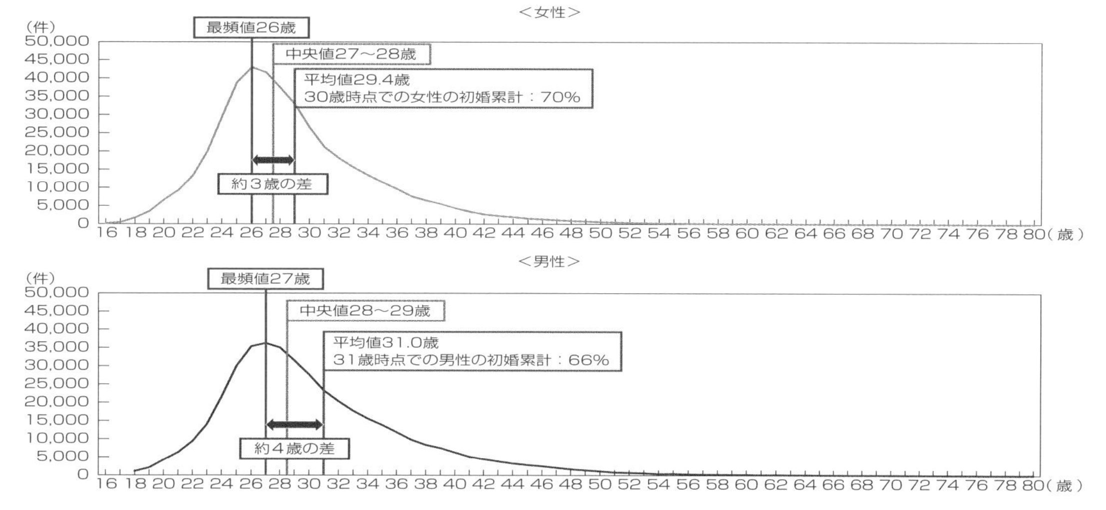

（備考）厚生労働省「人口動態統計」より作成。

内閣府「男女共同参画白書 令和４年版」

check! 平均初婚年齢は、男女とも30歳前後となっている。ただし、男女とも初婚年齢が低い人が多い一方で、30代で結婚する人も多いことから、平均値と中央値（初婚年齢を低いものから高いものへと順に並べて２等分する境界値）、最頻値（最も数が多い値）の間に３～４歳の差がある。また、生涯未婚率（「45～49歳」と「50～54歳」の未婚率の平均値で、50歳の時点で一度も結婚したことのない人の割合）が女性約18%、男性約28%（国立社会保障・人口問題研究所「日本の世帯数の将来推計」（2022年）より、2020年数値）であることも考慮して理解する必要がある。

7 就業と家庭の状況

①ひとり親世帯の状況

ひとり親世帯の就業率は８割超と高いが、母子世帯ではそのうち 46.5%が非正規であり、平均年間就労収入が 236 万円と低い。

離婚相手からの養育費受領率は、母子世帯で 28.1%、父子世帯で 8.7%にとどまっている。

およそ 30 年間で、母子世帯は約 1.4 倍に増加。

	昭和 63（1988）年		令和３（2021）年
母子世帯数 (注)	84.9 万世帯	➡	119.5 万世帯　（ひとり親世帯の 88.9%）
父子世帯数 (注)	17.3 万世帯	➡	14.9 万世帯　（ひとり親世帯の 11.1%）

（注）母子又は父子以外の同居者がいる世帯を含めた全体の母子世帯、父子世帯の数

	母子世帯	父子世帯	一般世帯（参考）
就業率	86.3%	88.1%	女性 73.3%　男性 84.3%
役員を除く雇用者のうち正規雇用労働者	53.5%	91.6%	女性 49.8%　男性 82.7%
役員を除く雇用者のうち非正規雇用労働者	46.5%	8.4%	女性 50.2%　男性 17.3%
平均年間就労収入	236 万円 正規雇用労働者：344 万円 パート・アルバイト等：150 万円	496 万円 正規雇用労働者：523 万円 パート・アルバイト等：192 万円	平均給与所得 女性 314 万円 男性 563 万円
養育費受領率	28.1%	8.7%	—

（備考）1. 母子世帯及び父子世帯は厚生労働省「全国ひとり親世帯等調査（令和３（2021）年度）」（推計値）より作成。
母子世帯及び父子世帯の正規雇用労働者、非正規雇用労働者の構成割合は、「正規の職員・従業員」及び「非正規の職員・従業員」（「派遣社員」、「パート・アルバイト等」の計）の合計を総数として算出した割合。
平均年間就労収入は、母子世帯及び父子世帯の母又は父自身の就労収入。
2. 一般世帯の就業率は総務省「労働力調査（基本集計）（令和５（2023）年）15 ～ 64 歳」、平均年間就労収入は国税庁「民間給与実態統計調査（令和４（2022）年）」より作成。
3 「民間給与実態統計調査」について、令和４（2022）年より、推計方法が変更されている。

内閣府「男女共同参画白書 令和６年版」

check! ひとり親世帯の数、割合ともに大きく増えている。同白書によると、2020（令和 2）年に離婚した人のうち、6 割近くには、親権の対象となる子どもがいた。なお、2000（平成 12）～ 2020（令和２）年の 20 年間は、親が離婚した未成年の子の数は毎年約 20 ～ 26 万人で推移している。

②共働き世帯数と専業主婦世帯数の推移（妻が 64 歳以下の世帯）

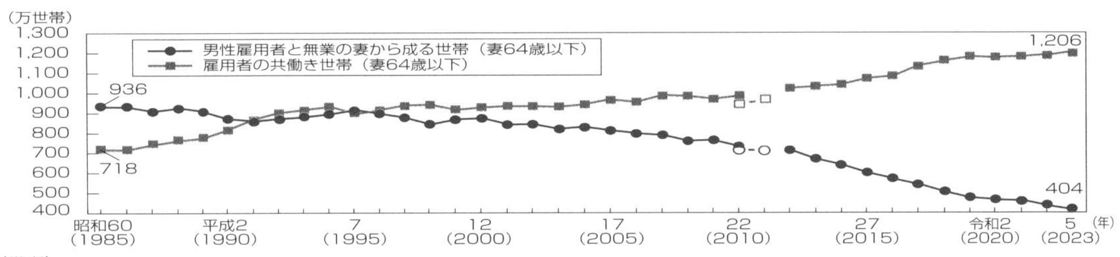

（備考）
1. 昭和 60（1985）年から平成 13（2001）年までは総務庁「労働力調査特別調査」（各年２月）、平成 14（2002）年以降は総務省「労働力調査（詳細集計）」より作成。「労働力調査特別調査」と「労働力調査（詳細集計）」とでは、調査方法、調査月等が相違することから、時系列比較には注意を要する。
2. 「男性雇用者と無業の妻から成る世帯（妻 64 歳以下）」とは、平成 29（2017）年までは、夫が非農林業雇用者で、妻が非就業者（非労働力人口及び完全失業者）かつ妻が 64 歳以下世帯。平成 30（2018）年以降は、就業状態の分類区分の変更に伴い、夫が非農林業雇用者で、妻が非就業者（非労働力人口及び失業者）かつ妻が 64 歳以下の世帯。
3. 「雇用者の共働き世帯（妻 64 歳以下）」とは、夫婦ともに非農林業雇用者（非正規の職員・従業員を含む）かつ妻が 64 歳以下の世帯。
4. 平成 22（2010）年及び 23（2011）年の値（白抜き表示）は、岩手県、宮城県及び福島県を除く全国の結果。
5. 平成 23（2011）年、25（2013）年から 28（2016）年、30（2018）年から令和３（2021）年は、労働力調査の時系列接続用数値を用いている。

内閣府「男女共同参画白書 令和６年版」

check! 1990 年代に、共働き世帯と専業主婦世帯の数が逆転した。以降、両者の差が大きくなっている。

③夫婦と子どもからなる世帯の妻の就業状態別割合（妻の年齢階級別）

〈平成17（2005）年〉

〈令和3（2021）年〉

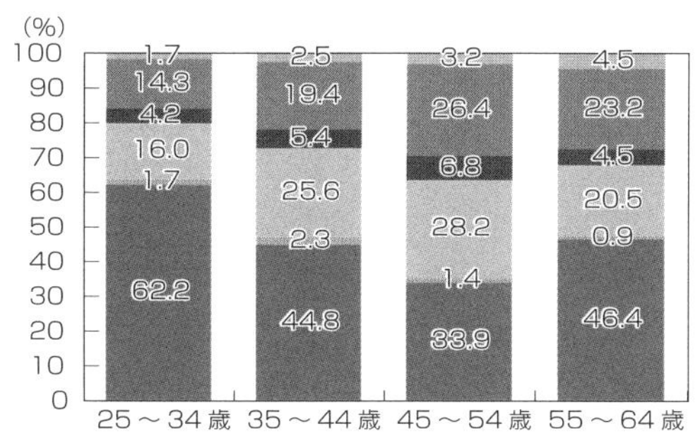

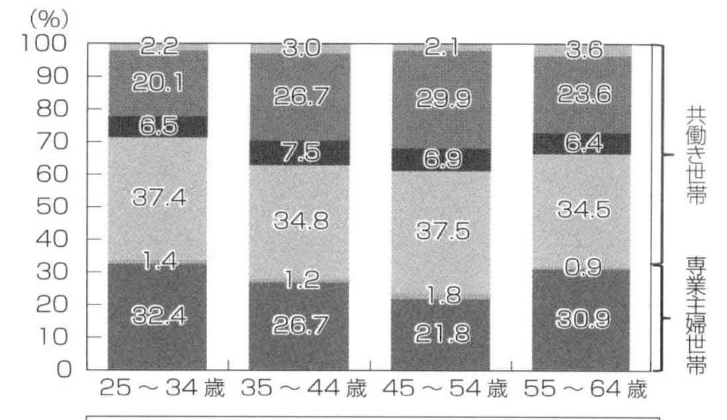

〈平成17（2005）年〉凡例
- 雇用者以外の就業者（農業、林業、自営業主・家族従業者※内職者を含む）
- フルタイム（週35時間以上就業している雇用者）
- パート（週30～34時間就業している雇用者）
- パート（週0～29時間就業している雇用者）
- 完全失業者
- 非労働力人口

〈令和3（2021）年〉凡例
- 雇用者以外の就業者（農業、林業、自営業主・家族従業者※内職者を含む）
- フルタイム（週35時間以上就業している雇用者）
- パート（週30～34時間就業している雇用者）
- パート（週0～29時間就業している雇用者）
- 失業者
- 非労働力人口

（備考）1)総務省「労働力調査（詳細集計）」より作成。
2)夫が非農林業雇用者かつ週35時間以上就業している世帯。
3)非労働力人口とは専業主婦を指す（平成17（2005）年は完全失業者、令和3（2021）年は失業者を含む）。

内閣府「男女共同参画白書 令和4年版」を一部改変

check! 子育て世代の専業主婦家庭の割合が大きく減少。ただし、妻の就業は近年でも週30時間未満のパートが多い。

④末子年齢別・妻の就労形態別に見た夫の家事・育児時間、末子年齢別に見た正規雇用労働者の妻の家事・育児時間（仕事がある日）（平均値）

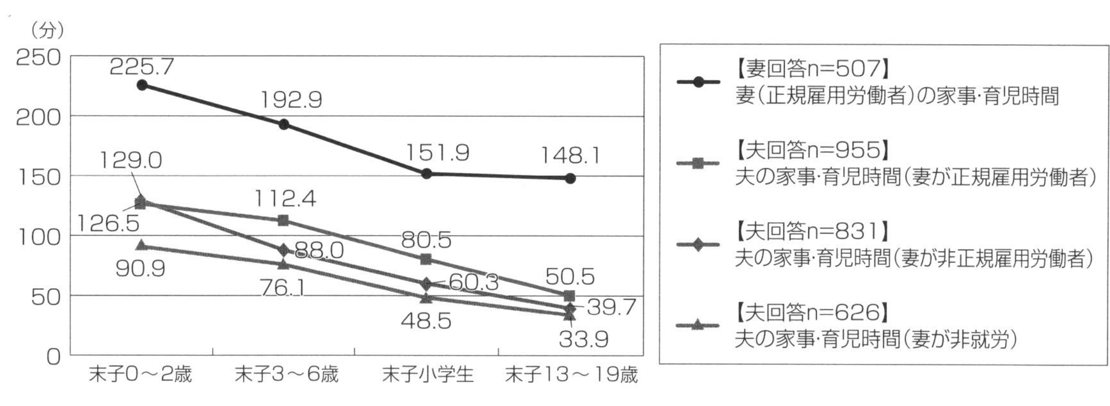

（備考）1）「令和4年度新しいライフスタイル、新しい働き方を踏まえた男女共同参画推進に関する調査」（令和4年度内閣府委託調査）調査検討委員会稲葉昭英委員他による分析結果より作成。
2）同一世帯内の調査（いわゆるカップル調査）ではないことに留意。

内閣府「男女共同参画白書 令和5年版」

check! 男性の家事・育児等への考え方（自分が率先してするべきことである）は変化してきているが、妻が正規雇用労働者として働く夫の、家事・育児時間の分担割合を見てみると、末子0～2歳で35.9%、末子3～6歳で36.8%、末子小学生で34.6%、末子13～19歳で25.4%と、末子が小学生以下の場合は、3割台半ばとなっている（男女共同参画白書 令和5年版）。妻が正規雇用労働者として働いていても、依然として妻が家事・育児のかなりの部分を担っている実態がある。

8 子育て世代の家計の状況

①所得の分布状況（全世帯）

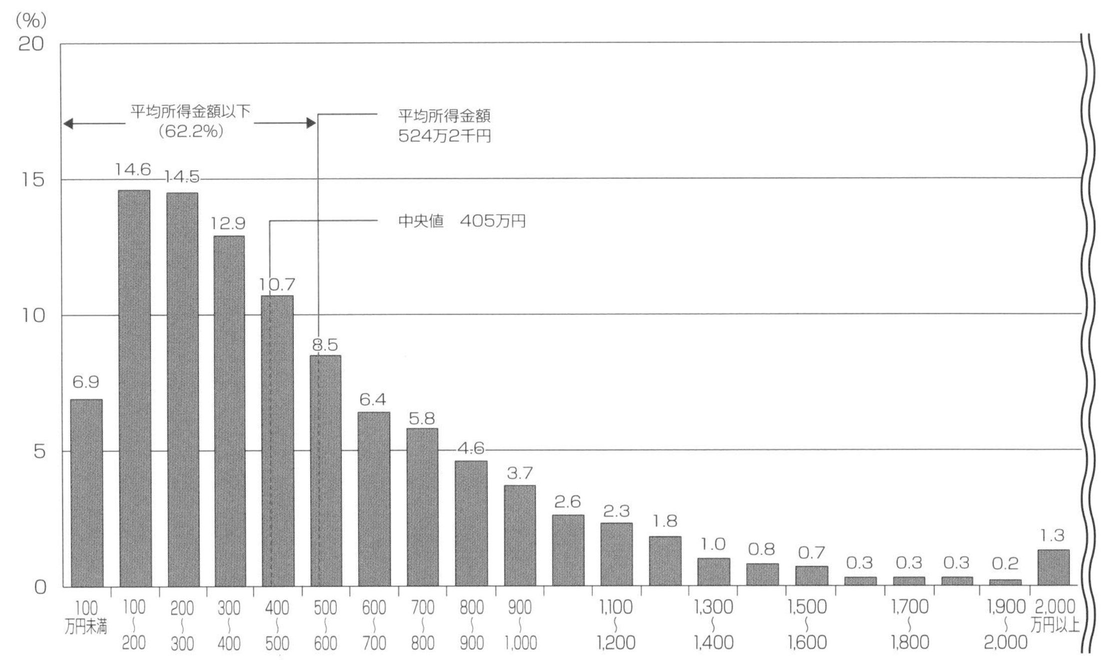

厚生労働省「2023（令和5）年 国民生活基礎調査の概況」

check! 2023年の国民生活基礎調査では、所得金額の全世帯の中央値（所得を低いものから高いものへと順に並べて2等分する境界値）は405万円であり、平均所得金額（524万2千円）以下の割合は62.2%となっている。

②子どものいる世帯の現在の暮らしの状況について

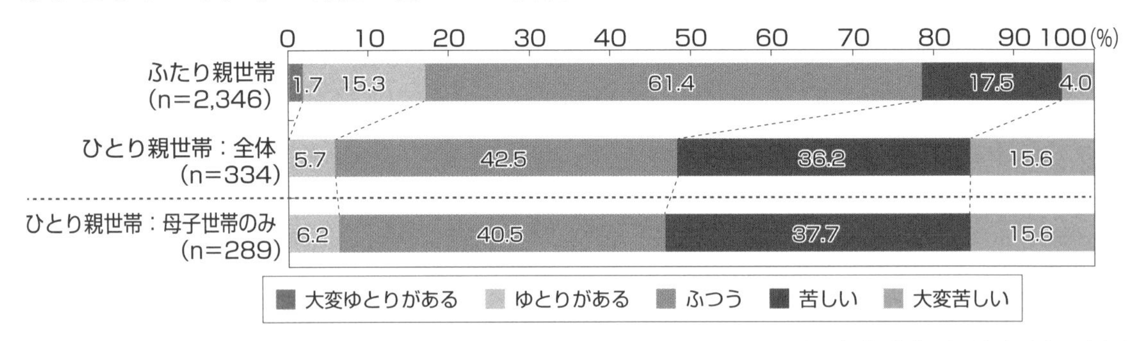

内閣府「男女共同参画白書 令和4年版」

check! 内閣府政策統括官「令和3年 子供の生活状況調査の分析 報告書」（令和3年12月）によると、ひとり親世帯の半数以上が、現在の暮らしの状況について「苦しい」または「大変苦しい」と回答している。

(2) 子ども家庭福祉行政

1 子ども家庭福祉行政のしくみ

わが国の子ども家庭福祉行政は、国、都道府県・指定都市、市区町村を通じて行われます。具体的な業務の遂行は、都道府県・指定都市等(注)が設置する児童相談所と、市区町村、保健所、福祉事務所などが役割を分担しています。児童相談所は広域を担うため、日常的な地域における子どもの福祉向上に関しては、市区町村の子ども家庭関連部署・施設などが中心に担当しています。国では2023(令和5)年4月にこども家庭庁が発足し、こども家庭審議会が設置されました。

(注) 都道府県·指定都市のほかに、全国4か所の中核市と8か所の特別区が児童相談所を設置しています(2024年4月現在)。

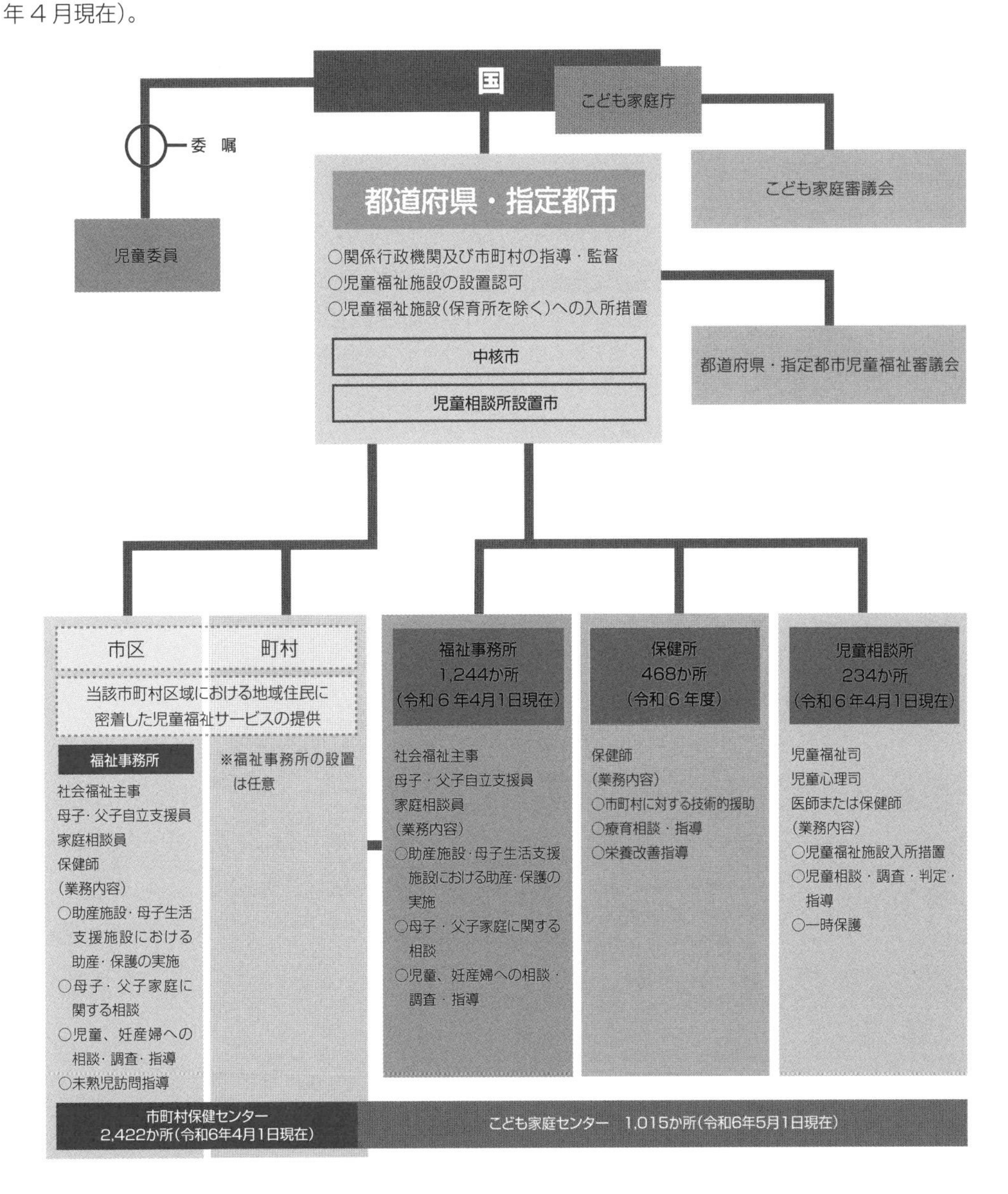

2 主な子ども家庭福祉及び次世代育成関係法令

法律名	成立年	目　的
児童福祉法	1947（昭和22）年	わが国の児童福祉に関する基本を定めたものである。
少年法	1948（昭和23）年	少年の健全な育成を期し、非行のある少年に対して性格の矯正及び環境の調整に関する保護処分を行うとともに、少年の刑事事件について特別の措置を講ずる。
社会福祉法	1951（昭和26）年	社会福祉を目的とする事業の全分野における共通的基本事項を定め、社会福祉を目的とする他の法律と相まって、福祉サービスの利用者の利益の保護及び地域における社会福祉の推進を図るとともに、社会福祉事業の公明かつ適正な実施の確保及び社会福祉を目的とする事業の健全な発達を図り、もって社会福祉の増進に資する。
児童扶養手当法	1961（昭和36）年	父または母と生計を同じくしていない児童が育成される家庭の生活の安定と自立の促進に寄与するため、当該児童について児童扶養手当を支給し、もって児童の福祉の増進を図る。
特別児童扶養手当等の支給に関する法律	1964（昭和39）年	精神または身体に障害を有する児童について特別児童扶養手当を支給し、精神または身体に重度の障害を有する児童に障害児福祉手当を支給するとともに、精神または身体に著しく重度の障害を有する者に特別障害者手当を支給することにより、これらの者の福祉の増進を図る。
母子及び父子並びに寡婦福祉法（通称：母子父子寡婦福祉法）	1964（昭和39）年	母子家庭・父子家庭及び寡婦（夫と死別・離別した女性）の福祉に関する原理を明らかにするとともに、母子家庭・父子家庭及び寡婦に対し、その生活の安定と向上のために必要な措置を講じ、もって母子家庭・父子家庭及び寡婦の福祉を図ることを目的とする。
母子保健法	1965（昭和40）年	母性ならびに乳児及び幼児の健康の保持及び増進を図るため、母子保健に関する原理を明らかにするとともに、母性ならびに乳児及び幼児に対する保健指導、健康診査、医療その他の措置を講じ、もって国民保健の向上に寄与する。
障害者基本法	1970（昭和45）年	すべての国民が、障害の有無にかかわらず、等しく基本的人権を享有するかけがえのない個人として尊重されるものであるとの理念にのっとり、すべての国民が、障害の有無によってわけへだてられることなく、相互に人格と個性を尊重し合いながら共生する社会を実現するため、障害者の自立及び社会参加の支援等のための施策に関し、基本原則を定め、及び国、地方公共団体等の責務を明らかにするとともに、障害者の自立及び社会参加の支援等のための施策の基本となる事項を定めること等により、障害者の自立及び社会参加の支援等のための施策を総合的かつ計画的に推進する。
児童手当法	1971（昭和46）年	子ども・子育て支援法に規定する子ども・子育て支援の適切な実施を図るため、父母その他の保護者が子育てについての第一義的責任を有するという基本的認識のもとに、児童を養育している者に児童手当を支給することにより、家庭等における生活の安定に寄与するとともに、次代の社会を担う児童の健やかな成長に資する。
児童買春、児童ポルノに係る行為等の規制及び処罰並びに児童の保護等に関する法律（通称：児童ポルノ禁止法）	1999（平成11）年	児童に対する性的搾取（せいてきさくしゅ）及び性的虐待が児童の権利を著しく侵害することの重大性にかんがみ、あわせて児童の権利の擁護に関する国際的動向をふまえ、児童買春、児童ポルノに係る行為等を規制し、及びこれらの行為等を処罰するとともに、これらの行為等により心身に有害な影響を受けた児童の保護のための措置等を定めることにより、児童の権利を擁護する。

法律名	成立年	目　的
児童虐待の防止等に関する法律（通称：児童虐待防止法）	2000（平成 12）年	児童虐待が児童の人権を著しく侵害し、その心身の成長及び人格の形成に重大な影響を与えるとともに、わが国における将来の世代の育成にも懸念を及ぼすことにかんがみ、児童に対する虐待の禁止、児童虐待の予防及び早期発見その他の児童虐待の防止に関する国及び地方公共団体の責務、児童虐待を受けた児童の保護及び自立の支援のための措置等を定めることにより、児童虐待の防止等に関する施策を促進し、もって児童の権利利益の擁護に資する。
発達障害者支援法	2004（平成 16）年	発達障害を早期に発見し、発達支援を行うことに関する国及び地方公共団体の責務を明らかにするとともに、学校教育における発達障害者への支援、発達障害者の就労の支援、発達障害者支援センターの指定等について定めることにより、発達障害者の自立及び社会参加のためのその生活全般にわたる支援を図ること等を目的とする。
障害者の日常生活及び社会生活を総合的に支援するための法律（通称：障害者総合支援法）	2005（平成 17）年	障害者基本法の基本的な理念にのっとり、身体障害者福祉法、知的障害者福祉法、精神保健及び精神障害者福祉に関する法律（通称：精神保健福祉法）、児童福祉法その他障害者及び障害児の福祉に関する法律と相まって、障害者及び障害児が基本的人権を享有する個人としての尊厳にふさわしい日常生活または社会生活を営むことができるよう、必要な障害福祉サービスに係る給付、地域生活支援事業その他の支援を総合的に行い、もって障害者及び障害児の福祉の増進を図るとともに、障害の有無にかかわらず国民が相互に人格と個性を尊重し安心して暮らすことのできる地域社会の実現に寄与する。
子ども・若者育成支援推進法	2009（平成 21）年	子ども・若者の健やかな育成、子ども・若者が社会生活を円滑に営むことができるようにするための支援その他の取組について、基本理念、国及び地方公共団体の責務ならびに施策の基本となる事項を定め、総合的な施策を推進することを目的とする。
子ども・子育て支援法	2012（平成 24）年	わが国における急速な少子化の進行ならびに家庭及び地域を取り巻く環境の変化にかんがみ、児童福祉法、その他の子どもに関する法律による施策と相まって、子ども・子育て支援給付その他の子ども及び子どもを養育している者に必要な支援を行い、もって一人ひとりの子どもが健やかに成長することができる社会の実現に寄与する。
こどもの貧困の解消に向けた対策の推進に関する法律（通称：こどもの貧困解消法）	2013（平成 25）年	貧困により、こどもが適切な養育及び教育並びに医療を受けられないこと、こどもが多様な体験の機会を得られないことその他のこどもがその権利利益を害され及び社会から孤立することのないようにするため、日本国憲法第 25 条その他の基本的人権に関する規定、児童の権利に関する条約及びこども基本法（令和４年法律第 77 号）の精神にのっとり、こどもの貧困の解消に向けた対策に関し、基本理念を定め、国等の責務を明らかにし、及びこどもの貧困の解消に向けた対策の基本となる事項を定めることにより、こどもの貧困の解消に向けた対策を総合的に推進する。
こども家庭庁設置法	2022（令和４）年	こども家庭庁の設置並びに任務及びこれを達成するため必要となる明確な範囲の所掌事務を定めるとともに、その所掌する行政事務を能率的に遂行するため必要な組織を定めることを目的とする。
こども基本法	2022（令和４）年	日本国憲法及び児童の権利に関する条約の精神にのっとり、次代の社会を担う全てのこどもが、生涯にわたる人格形成の基礎を築き、自立した個人としてひとしく健やかに成長することができ、心身の状況、置かれている環境等にかかわらず、その権利の擁護が図られ、将来にわたって幸福な生活を送ることができる社会の実現を目指して、社会全体としてこども施策に取り組むことができるよう、こども施策に関し、基本理念を定め、国の責務等を明らかにし、及びこども施策の基本となる事項を定めるとともに、こども政策推進会議を設置すること等により、こども施策を総合的に推進することを目的とする。

3 児童福祉法の改正について

2016（平成 28）年の改正は、総則の改正を含む大幅なものでした。子どもが権利の主体であること、国民は子どもの意見が尊重されその最善の利益を優先して考慮されるように努力しなければならないこと、国と地方公共団体は子どもの第一義的な養育責任を有する保護者を支援しなければならないことなどが明記されました。

2017（平成 29）年、2019（令和元）年の改正では、児童虐待の防止についての体制強化などが目指されました。このとき、児童虐待の防止等に関する法律の改正も併せて行われ、2019（令和元）年の改正では児童への体罰の禁止が明記されました。

2022（令和 4）年の改正では、児童虐待の相談件数の増加や、子育てに困難を抱える世帯がこれまで以上に顕在化していることを踏まえ、市町村や都道府県等の体制強化、民間機関との連携、訪問による家事支援や居場所づくり支援などの事業を新設することなどにより、子育て世帯に対する包括的な支援体制を強化すること等が規定されました。また、社会的養護における権利擁護や自立支援の充実などが規定されました。

なお、多くの内容が、2024（令和 6）年 4 月 1 日から施行されました。

児童福祉法等の一部を改正する法律（令和4年法律第66号）の概要

改正の趣旨 児童虐待の相談対応件数の増加など、子育てに困難を抱える世帯がこれまで以上に顕在化してきている状況等を踏まえ、子育て世帯に対する包括的な支援のための体制強化等を行う。

改正の概要

1. **子育て世帯に対する包括的な支援のための体制強化及び事業の拡充【児童福祉法、母子保健法】**
   (1)市区町村は、全ての妊産婦・子育て世帯・子どもの包括的な相談支援等を行うこども家庭センター（※）の設置や、身近な子育て支援の場（保育所等）における相談機関の整備に努める。こども家庭センターは、支援を要する子どもや妊産婦等への支援計画（サポートプラン）を作成する。
   ※子ども家庭総合支援拠点と子育て世代包括支援センターを見直し。
   (2)子育て世帯訪問支援事業、児童育成支援拠点事業、親子関係形成支援事業をそれぞれ新設する。これらを含む家庭支援の事業について市区町村が必要に応じ利用勧奨・措置を実施する。
   (3)児童発達支援センターが地域における障害児支援の中核的役割を担うことの明確化や、障害種別にかかわらず障害児を支援できるよう児童発達支援の類型（福祉型、医療型）の一元化を行う。
2. **一時保護所及び児童相談所による児童への処遇や支援、困難を抱える妊産婦等への支援の質の向上【児童福祉法】**
   (1)一時保護所の設備・運営基準を策定して一時保護所の環境改善を図る。児童相談所による支援の強化として、民間との協働による親子再統合の事業の実施や、里親支援センターの児童福祉施設としての位置づけ等を行う。
   (2)困難を抱える妊産婦等に一時的な住居や食事提供、その後の養育等に係る情報提供等を行う事業を創設する。
3. **社会的養育経験者・障害児入所施設の入所児童等に対する自立支援の強化【児童福祉法】**
   (1)児童自立生活援助の年齢による一律の利用制限を弾力化する。社会的養育経験者等を通所や訪問等により支援する拠点を設置する事業を創設する。
   (2)障害児入所施設の入所児童等が地域生活等へ移行する際の調整の責任主体（都道府県・政令市）を明確化するとともに、22 歳までの入所継続を可能とする。
4. **児童の意見聴取等の仕組みの整備【児童福祉法】**
   児童相談所等は入所措置や一時保護等の際に児童の最善の利益を考慮しつつ、児童の意見・意向を勘案して措置を行うため、児童の意見聴取等の措置を講ずることとする。都道府県は児童の意見・意向表明や権利擁護に向けた必要な環境整備を行う。
5. **一時保護開始時の判断に関する司法審査の導入【児童福祉法】**
   児童相談所が一時保護を開始する際に、親権者等が同意した場合等を除き、事前又は保護開始から７日以内に裁判官に一時保護状を請求する等の手続を設ける。
6. **子ども家庭福祉の実務者の専門性の向上【児童福祉法】**
   児童虐待を受けた児童の保護等の専門的な対応を要する事項について十分な知識・技術を有する者を新たに児童福祉司の任用要件に追加する。
   ※当該規定に基づいて、子ども家庭福祉の実務経験者向けの認定資格を導入する。
   ※認定資格の取得状況等を勘案するとともに、業務内容や必要な専門知識・技術、教育課程の明確化、養成体制や資格取得者の雇用機会の確保、といった環境を整備しつつ、その能力を発揮して働くことができる組織及び資格の在り方について、国家資格を含め、施行後２年を目途として検討し、その結果に基づいて必要な措置を講ずる。
7. **児童をわいせつ行為から守る環境整備（性犯罪歴等の証明を求める仕組み（日本版 DBS）の導入に先駆けた取組強化）等【児童福祉法】**
   児童にわいせつ行為を行った保育士の資格管理の厳格化を行うとともに、ベビーシッター等に対する事業停止命令等の情報の公表や共有を可能とするほか、児童福祉施設等の運営について、国が定める基準に従い、条例で基準を定めるべき事項に児童の安全の確保を加えるなど所要の改正を行う。

施行期日

令和６年４月１日(ただし､5は公布後３年以内で政令で定める日、7の一部は公布後３月を経過した日、令和5年4月1日又は公布後２年以内で政令で定める日)

厚生労働省資料を一部改変

4 こども家庭庁の組織と施策

2022（令和４）年に成立したこども家庭庁設置法に基づき、2023（令和５）年４月１日にこども家庭庁が設置されました。こども家庭庁は、以下の主な政策分野を掲げています。

1　こどもの視点に立った司令塔機能の発揮、こども基本法の着実な施行
2　こどもが健やかで安全・安心に成長できる環境の提供
3　結婚・妊娠・出産・子育てに夢や希望を感じられる社会の実現、少子化の克服
4　成育環境にかかわらず誰一人取り残すことなく健やかな成長を保障

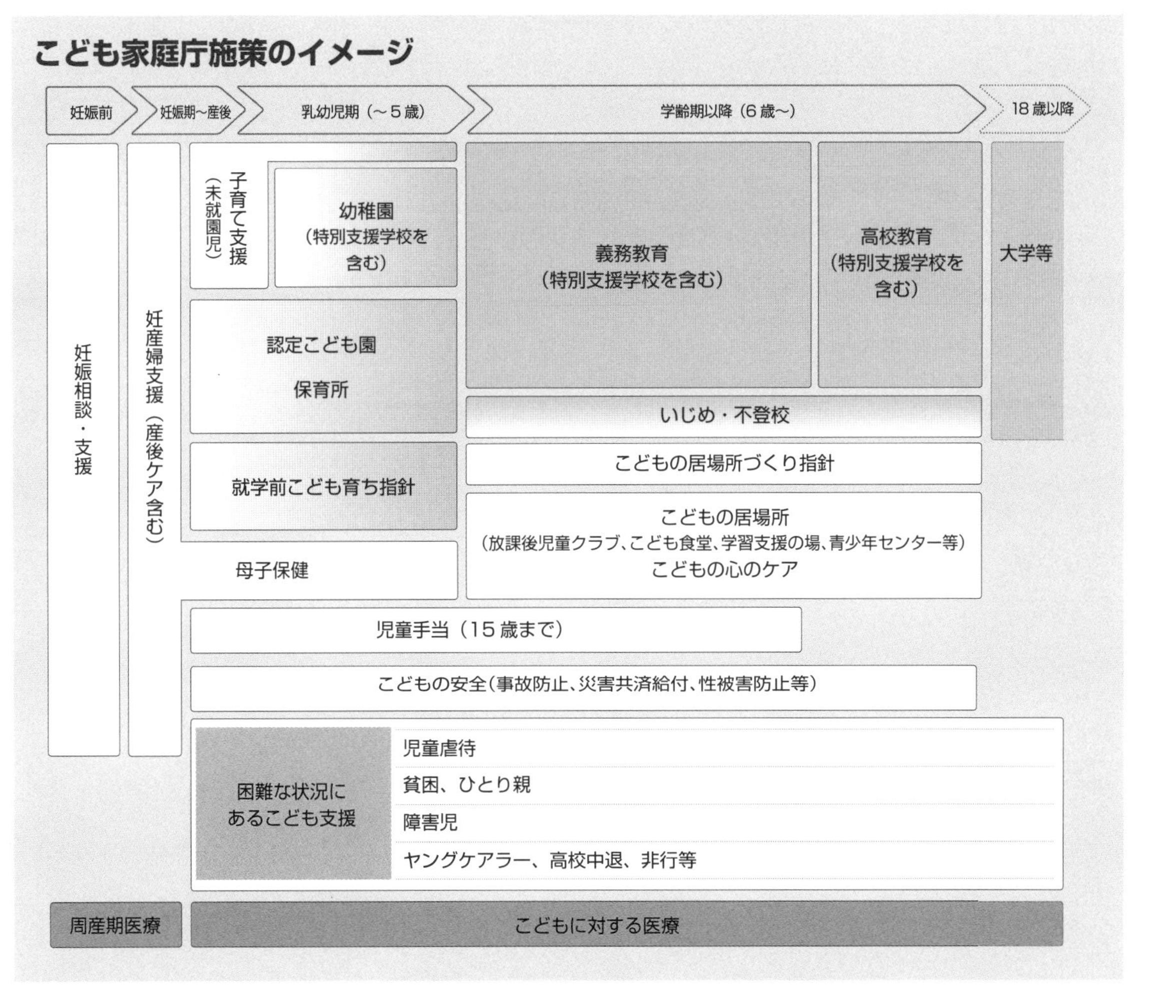

内閣官房資料「こども政策の新たな推進体制に関する基本方針のポイント」を一部改変

5 自治体こども計画

2024（令和 6）年 5 月 24 日、こども家庭庁長官官房長から、各都道府県知事及び各指定都市市長あてに、「自治体こども計画策定のためのガイドラインを踏まえた自治体こども計画の策定について（依頼）」が発出されました。

こども基本法第 10 条には、都道府県はこども大綱を勘案して都道府県こども計画を作成すること、また、市町村はこども大綱・都道府県こども計画を勘案して市町村こども計画を作成することに努めることが定められています。また、都道府県こども計画及び市町村こども計画（以下、「自治体こども計画」）は、既存の各法令に基づく都道府県計画及び市町村計画（子ども・若者育成支援推進法、こどもの貧困の解消に向けた対策の推進に関する法律、その他の法令の規定により地方公共団体が策定する計画）と一体のものとして作成することができるとされています。

このことを踏まえて、こども家庭庁は、自治体こども計画策定にあたり必要な基礎事項、留意点及び事例等を取りまとめたガイドラインを作成しました。

各自治体には、こども施策担当部局と教育委員会等が密接に連携して、こどもや子育て当事者の声を反映したうえで、地域の実情に応じた自治体こども計画を策定することが求められています。

自治体こども計画策定のためのガイドライン

●こども基本法第 10 条において、
- **都道府県は、こども大綱を勘案して「都道府県こども計画」を作成**
- **市町村は、こども大綱・都道府県こども計画を勘案して「市町村こども計画」を作成する努力義務**が課せられています。

●本ガイドラインでは、**地方自治体が自治体こども計画策定にあたり必要な基礎事項や留意点、事例等**を取りまとめています。

こども大綱

こども・若者の健やかな成長への支援、少子化対策、こどもの貧困対策など、幅広いこども政策に関する基本的な方針と重要事項等を一元化

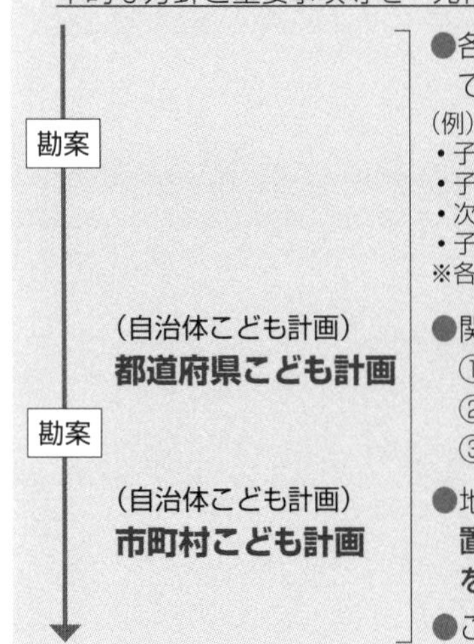

●各法令等に基づく**こどもに関する計画等**を**一体のものとして作成**することができます。

（例）
- 子ども・若者育成支援推進法第 9 条に規定する、都道府県 / 市町村子ども・若者計画
- 子どもの貧困対策の推進に関する法律第 9 条に規定する、都道府県 / 市町村計画
- 次世代育成支援対策推進法に基づく都道府県 / 市町村行動計画
- 子ども・子育て支援法に基づく都道府県 / 市町村子ども・子育て支援事業計画等

※各法令等において記載すべき事項等とされている事項を盛り込む必要があります。

●関連計画等を**一体的に作成することにより以下が期待**されます。
① こども施策に**全体として横串**を刺すこと
② **住民にとってわかりやすい**ものとなること
③ 自治体行政の事務負担の軽減

●地域の実情に応じて**個別に計画を作成し、それらを相互に関連計画として位置付け、内容に応じて適宜参照しあうなど整合を図ることで、それらの計画を自治体こども計画と位置付ける**ことも可能です。

●こども・子育て事業債は、自治体こども計画へ位置付けた事業が対象です。

こども家庭庁「自治体こども計画策定のためのガイドライン（概要版）」

6 子ども家庭福祉に関する施設

子ども家庭福祉に関する施設と在所者数（2022（令和4）年10月1日現在）

上段：施設数
下段：定　員

施設区分	総数	公営	私営	在所者	推移 昭和40年 12月	昭和60年 10月	平成17年 10月	平成27年 10月
①助産施設	382 3,164	190 1,714	192 1,450	－ －	479 4,136	780 6,073	456 3,649	391 3,115
②保育所等	30,358 2,939,776	7,750 809,482	22,608 2,130,294	2,599,190 －	11,199 876,140	22,899 2,078,765	22,624 2,060,938	25,580 2,481,970
（再掲）幼保連携型認定こども園	6,479 660,983	909 93,238	5,570 567,745	635,059 －	－ －	－ －	－ －	1,938 186,386
③児童館	4,301 －	2,323 －	1,978 －	－ －	544 －	3,517 －	4,716 －	4,497 －
④児童遊園	2,074 －	2,025 －	49 －	－ －	－ －	4,173 －	3,802 －	2,781 －
⑤乳児院	145 3,822	5 89	140 3,733	2,560 －	127 3,859	122 4,064	117 3,669	134 3,873
⑥児童養護施設	610 29,872	7 299	603 29,573	23,486 －	578 38,667	572 37,088	558 33,676	609 33,287
⑦児童心理治療施設	51 2,168	6 245	45 1,923	1,398 －	4 200	11 550	27 1,323	40 1,812
⑧児童自立支援施設	58 3,449	55 3,269	3 180	1,114 －	58 6,276	57 4,989	58 4,227	58 3,822
⑨児童家庭支援センター	164 －	－ －	164 －	－ －	－ －	－ －	57 －	109 －
⑩自立援助ホーム	317 2,032	－ －	317 2,032	1,061 －	－ －	－ －	－ －	143 934
⑪ファミリーホーム	467 2,756	－ －	467 2,756	1,757 －	－ －	－ －	－ －	313 1,356
⑫母子生活支援施設	204 4,286	18 342	186 3,944	7,305 －	621 12,768	348 6,938	282 5,648	235 4,830
⑬福祉型障害児入所施設	243 8,477	31 1,255	212 7,222	5,964 －	－ －	－ －	－ －	267 10,533
⑭医療型障害児入所施設	221 20,838	79 7,164	142 13,674	7,785 －	－ －	－ －	－ －	200 18,432
⑮福祉型児童発達支援センター	703 21,064	160 5,951	543 15,113	40,494 －	－ －	－ －	－ －	467 14,822
⑯医療型児童発達支援センター	91 2,911	41 1,340	50 1,571	1,574 －	－ －	－ －	－ －	106 3,533
総数	39,943 3,041,979	12,690 831,150	27,253 2,210,829	2,691,942 －	13,610 942,046	32,479 2,138,467	32,697 2,113,130	37,868 2,806,573

※児童養護施設の推移については、児童養護施設の値に虚弱児施設の値を加えたものである。幼保連携型認定こども園については保育所部分のみである。また、⑬～⑯の推移については、平成24年度に施行された改正児童福祉法により施設体系が整理されたことから、未記入となっている。

厚生労働省「社会福祉施設等調査」　※⑩は厚生労働省家庭福祉課調べ（令和5年10月1日）、⑪は「福祉行政報告例」（令和4年度）

7 子ども家庭福祉の相談体制

日本の子ども家庭福祉の相談援助は、市区町村と都道府県、その他の様々な機関によって担われています。

2005（平成 17）年度からは市区町村が子ども家庭相談支援の第一義的な窓口の役割を担うようになり、あわせて関係機関が連携を図り、児童虐待等への対応を行うよう要保護児童対策地域協議会の設置が進められました。

2017（平成 29）年度からは、市区町村の業務に「児童及び妊産婦の福祉に関し、家庭その他につき必要な支援を行うこと」が加えられました。その際、設置が推進された市区町村子ども家庭総合支援拠点は、2024（令和６）年度からは、母子保健部門で整備が進められてきた子育て世代包括支援センターと一体化され、こども家庭センターとなりました。

もっとも大切なことは親子自身の力とその親族や知人・友人などの力が発揮されるように支援することです。しかし、そのためにも、経済的援助、住宅の確保、就労支援、保育の実施、子育て支援サービスの提供、必要な場合には社会的養護の措置などが適切に行われなければなりません。これらの機関は、子どもや保護者のパートナーとして、子どもの健やかな育ちを保障します。

①市区町村における相談対応件数

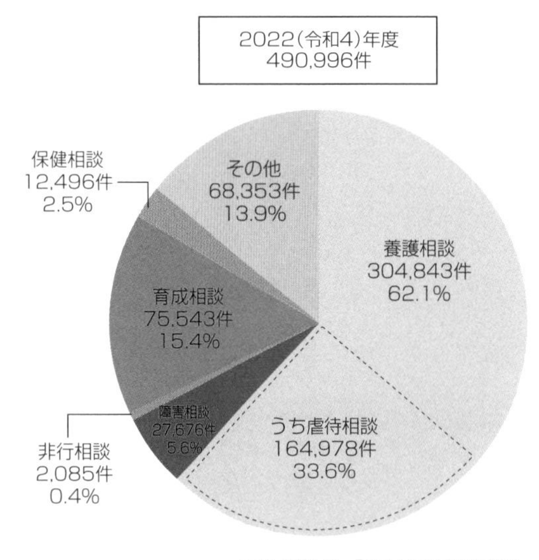

厚生労働省「福祉行政報告例」

②児童相談所における相談対応件数

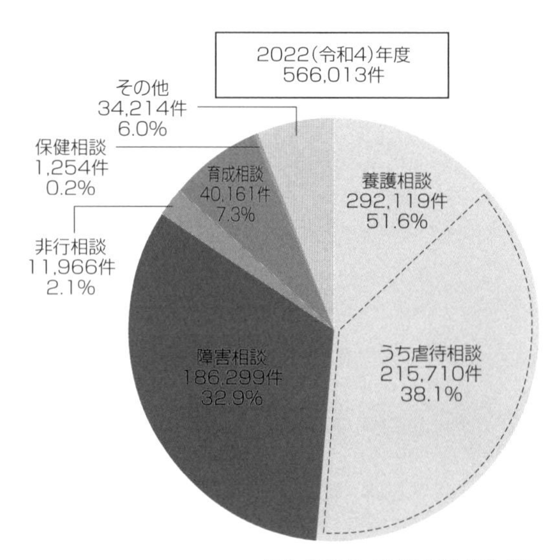

厚生労働省「福祉行政報告例」

check! 市区町村も児童相談所も、養護相談の占める割合が５～６割を占めている。児童相談所の養護相談のうちの４分の３近くが虐待相談である。児童相談所においては、療育手帳の程度判定の件数が全体を押し上げていたために、平成 29 年度以前は障害相談が常に最も多い割合を占めていたが、現在は大きく変化している。非行相談や保健相談の減少も著しい。市区町村においては、児童相談所と比べると、育成相談の割合が高い。

8 子ども家庭福祉に求められる包括的な支援の展開

2022（令和 4）年の児童福祉法改正で示されたこども家庭センターの設置や市区町村における子育て家庭への支援の充実等は、2024（令和 6）年 4 月 1 日から施行されました。いずれも、組織改正、予算の確保、社会資源の開発、職員の育成、実践例の蓄積などを要するもので、確実な実施のための取り組みが必要とされます。

2024（令和 6）年 5 月時点で、こども家庭センターは全国で 1,015 か所設置されています（74 頁参照）。

こども家庭センターの設置とサポートプランの作成

●市区町村において、子ども家庭総合支援拠点（児童福祉）と子育て世代包括支援センター（母子保健）の設立の意義や機能は維持した上で組織を見直し、**全ての妊産婦、子育て世帯、子どもへ一体的に相談支援を行う機能を有する機関（こども家庭センター）の設置に努めることとする。**

※子ども家庭総合支援拠点：635 自治体、716 箇所、子育て世代包括支援センター：1,603 自治体、2,451 箇所（令和３年４月時点）

●この相談機関では、**妊娠届から妊産婦支援、子育てや子どもに関する相談を受けて支援につなぐためのマネジメント（サポートプランの作成）等を担う。**

※児童及び妊産婦の福祉に関する把握・情報提供・相談等、支援を要する子ども・妊産婦等へのサポートプランの作成、母子保健の相談等を市区町村の行わなければならない業務として位置づけ

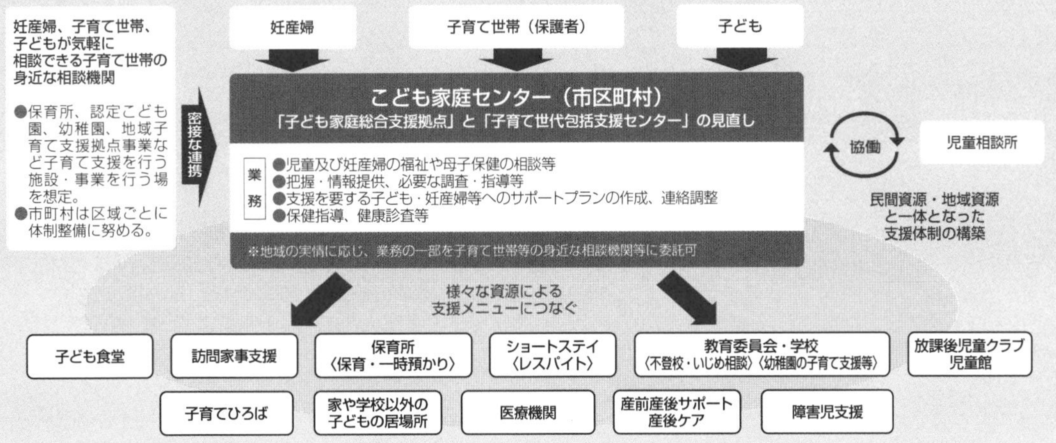

妊産婦、子育て世帯、子どもが気軽に相談できる子育て世帯の身近な相談機関

●保育所、認定こども園、幼稚園、地域子育て支援拠点事業など子育て支援を行う施設・事業を行う場を想定。
●市町村は区域ごとに体制整備に努める。

密接な連携

妊産婦　子育て世帯（保護者）　子ども

こども家庭センター（市区町村）
「子ども家庭総合支援拠点」と「子育て世代包括支援センター」の見直し

業務
●児童及び妊産婦の福祉や母子保健の相談等
●把握・情報提供、必要な調査・指導等
●支援を要する子ども・妊産婦等へのサポートプランの作成、連絡調整
●保健指導、健康診査等

※地域の実情に応じ、業務の一部を子育て世帯等の身近な相談機関等に委託可

協働　児童相談所

民間資源・地域資源と一体となった支援体制の構築

様々な資源による支援メニューにつなぐ

子ども食堂　訪問家事支援　保育所〈保育・一時預かり〉　ショートステイ〈レスパイト〉　教育委員会・学校〈不登校・いじめ相談〉〈幼稚園の子育て支援等〉　放課後児童クラブ 児童館

子育てひろば　家や学校以外の子どもの居場所　医療機関　産前産後サポート 産後ケア　障害児支援

こども家庭庁資料

市区町村における子育て家庭への支援の充実

●要支援・要保護児童（※1）は約23万人、特定妊婦（※2）は約0.8万人とされる中、支援の充実が求められている。
※1 保護者への養育支援が特に必要、保護者による監護が不適当な児童
※2 出産前において出産後の養育支援が必要な妊婦
●**地域子ども・子育て支援事業において、訪問型支援、通所型支援、短期入所支援の種類・量・質の充実**を図るとともに、**親子関係の構築に向けた支援**を行う。
●市区町村において計画的整備を行い、特に、支援が必要な者に対しては市区町村が**利用勧奨・措置を実施**する。

新設

●**子育て世帯訪問支援事業（訪問による生活の支援）**
- 要支援児童、要保護児童及びその保護者、特定妊婦等を対象（支援を要するヤングケアラー含む）
- 訪問し、子育てに関する**情報の提供、家事・養育に関する援助**等を行う。
例）調理、掃除等の家事、子どもの送迎、子育ての助言等

●**児童育成支援拠点事業（学校や家以外の子どもの居場所支援）**
- 養育環境等の課題（虐待リスクが高い、不登校等）を抱える主に学齢期の児童を対象
- **児童の居場所となる拠点を開設**し、児童に生活の場を与えるとともに児童や保護者への相談等を行う。
例）居場所の提供、食事の提供、生活リズム・メンタルの調整、学習支援、関係機関との調整等

●**親子関係形成支援事業（親子関係の構築に向けた支援）**
- 要支援児童、要保護児童及びその保護者、特定妊婦等を対象
- 親子間の適切な関係性の構築を目的とし、**子どもの発達の状況等に応じた支援を行う。**
例）講義・グループワーク・ロールプレイ等の手法で子どもとの関わり方等を学ぶ（ペアレントトレーニング）等

拡充

●**子育て短期支援事業**
- **保護者が子どもと共に入所・利用可能**とする。子どもが自ら入所・利用を希望した場合の入所・利用を可とする。
- 専用居室・専用人員配置の推進、入所・利用日数の柔軟化（個別状況に応じた利用日数の設定を可とする）を進める。

●**一時預かり事業**
- 子育て負担を軽減する目的（**レスパイト利用**など）での利用が可能である旨を明確化する。

地域子ども・子育て支援事業への位置づけ
- 市区町村の計画的整備
- 子ども・子育て交付金の充当

都道府県等・児童相談所による支援の強化

●**児童相談所の業務負荷が著しく増大**する中で、**民間と協働**し、支援の強化を図る必要がある。
●このため、民間に委託した場合の在宅指導措置の費用を施設等への措置の費用と同様に義務的経費にするとともに、
(1)措置解除等の際に親子の生活の再開等を図るため、**親子再統合支援事業**を制度に位置づける。
(2)家庭養育の推進により児童の養育環境を向上させるため、**里親支援センターを児童福祉施設として位置づける。**
●妊婦に対する寄り添いや心理的ケア、出産支援、産後の生活支援など**支援を必要とする妊婦に対する包括的な支援事業**を制度に位置づける。

●**親子再統合支援事業（都道府県等の事業**　※都道府県、政令市、児相設置市）
- 親子の再統合（親子関係の再構築等）が必要と認められる児童とその保護者を対象
- 児童虐待の防止に資する情報の提供、相談、助言等を行う。
例）ピア・カウンセリング、心理カウンセリング、保護者支援プログラム　等

●**里親支援センターの設置**
- 里親の普及啓発、里親の相談に応じた必要な援助、入所児童と里親相互の交流の場の提供、里親の選定・調整、委託児童等の養育の計画作成といった**里親支援事業や、里親や委託児童等に対する相談支援等**を行う。
- 里親支援の費用を里親委託の費用と同様に義務的経費とする。

●**妊産婦等生活援助事業（都道府県等の事業**　※都道府県、市、福祉事務所設置町村）
- **家庭生活に支障が生じた特定妊婦等とその子ども**（親に頼ることができない、出産に備える居宅がない等）を対象
- 住居に**入居させ、又は事業所等に通所、訪問**により、食事の提供などの**日常生活の支援**を行う。**養育に関する相談・助言**、関係機関との連絡調整（産後の母子生活支援施設等へのつなぎ等）、特別養子縁組の情報提供等を行う。

こども家庭庁資料

9 児童手当制度について

事業の目的等

○家庭等における生活の安定に寄与するとともに、次代の社会を担う児童の健やかな成長に資することを目的とする。

○「こども未来戦略」（令和５年 12 月 22 日閣議決定）に基づき、①所得制限の撤廃、②高校生年代までの支給期間の延長、③多子加算について第３子以降３万円（※）、とする抜本的拡充を行う。これら、抜本的拡充のための所要の法案が 2024（令和６）年６月に可決･成立し、令和６年 10 月分から実施されている。その際、支払月を年３回から隔月（偶数月）の年６回とし、拡充後の初回支給を令和６年 12 月とする。

※多子加算のカウント方法については、現在の高校生年代までの扱いを見直し、大学生に限らず、22 歳年度末までの上の子について、親等の経済的負担がある場合をカウント対象とする。

事業の概要・スキーム

	拡充前（令和６年９月分まで）	拡充後（令和６年 10 月分以降）
支給対象	中学校修了までの国内に住所を有する児童 (15 歳到達後の最初の年度末まで)	**高校生年代まで**の国内に住所を有する児童 (18 歳到達後の最初の年度末まで)
所得制限	所得限度額：960 万円未満 (年収ベース、夫婦とこども２人) ※年収 1,200 万円以上の者は支給対象外	**所得制限なし**
手当月額	• ３歳未満一律：15,000 円 • ３歳～小学校修了まで 第１子、第２子：10,000 円 第３子以降：15,000 円 • 中学生一律：10,000 円 • 所得制限以上一律：5,000 円 (当分の間の特例給付)	• ３歳未満 第１子、第２子：15,000 円 **第３子以降：30,000 円** • ３歳～**高校生年代** 第１子、第２子：10,000 円 **第３子以降：30,000 円**
受給資格者	• 監護生計要件を満たす父母等 • 児童が施設に入所している場合は施設の設置者等	同左
実施主体	市区町村 (法定受託事務) ※公務員は所属庁で実施	同左
支払期月	3回（2月、6月、10 月) (各前月までの４カ月分を支払)	**6回（偶数月)** (各前月までの２カ月分を支払)

こども家庭庁「令和６年度こども家庭庁予算案のポイント」を一部改変

（3）子ども・子育て支援と仕事と家庭の調和

1 これまでの子ども・子育て政策の変遷と「こども未来戦略会議」

政府は、「こども・子育て政策の強化を図るためには、幅広い関係者の知見を踏まえ、必要となる施策の内容、予算、財源について総合的に検討を深める必要がある」とし、2023（令和５）年４月７日に内閣総理大臣を議長とする「こども未来戦略会議」を設置しました。この会議は、高い頻度で開催され、「こども・子育て政策の基本方針」について検討し、2023（令和５）年末までに「こども未来戦略」を策定するとされました。

これを受けて、2023（令和５）年 12 月 22 日に、「『こども未来戦略』～次元の異なる少子化対策の実現に向けて～」が閣議決定されました。ここでは、「こども・子育て政策の抜本的な強化に向け、少子化の克服に向けた基本的な政策の企画立案・総合調整をつかさどるこども家庭庁が中心となり、文部科学省や厚生労働省等の関係省庁と連携し、こども・若者世代や子育て当事者の視点に立って、こども基本法に基づきこども施策の基本的な方針や重要事項等について定める「こども大綱」の実行と併せて政府を挙げて、取り組んでいく」とされています。

この文書の巻末には、わが国のこれまでのこども・子育て政策の変遷が以下のようにまとめられています。

【参考】これまでの子ども・子育て政策の変遷　～ 1.57 ショックからの 30 年～

●我が国で「少子化」が政策課題として認識されるようになったのは、1990 年のいわゆる「1.57 ショック」以降である。1989 年の合計特殊出生率が 1.57 となり、戦後最低の合計特殊出生率となったことを契機に、政府は対策をスタートさせ、1994 年 12 月には４大臣（文部・厚生・労働・建設）合意に基づく「エンゼルプラン」が策定された。

●これに基づき「緊急保育対策等５か年事業」として、保育の量的拡大、多様な保育（低年齢児保育、延長保育等）の充実などについて、数値目標を定めて取組が進められたが、同時期に「ゴールドプラン」に基づき基盤整備を進めた高齢社会対策と比べるとその歩みは遅く、また、施策の内容も保育対策が中心であった。

● 2000 年代に入ると対策の分野は保育だけでなく、雇用、母子保健、教育等にも広がり、2003 年には少子化社会対策基本法（平成 15 年法律第 133 号）が制定された。翌年には「少子化社会対策大綱」が閣議決定され、少子化対策は政府全体の取組として位置づけられるようになった。

●また、次世代育成支援対策推進法により、2005 年４月から、国や地方公共団体に加え、事業主も行動計画を策定することとなり、職域における「両立支援」の取組が進められるようになった。

●このように法的な基盤は整えられていったものの、こども・子育て分野への資源投入は限定的であり、例えば家族関係社会支出の対 GDP 比は、1989 年度の 0.36%に対し、1999 年度には 0.53%とわずかな伸びにとどまった。

● 2010 年代に入り、「社会保障と税の一体改革」の流れの中で大きな転機が訪れた。消費税率の引上げに伴う社会保障の充実メニューとして、こども・子育て分野に 0.7 兆円規模の財源が充てられることとなり、さらに、2017 年には「新しい経済政策パッケージ」（平成 29 年 12 月８日閣議決定）により、「人づくり革命」の一環として追加財源２兆円が確保された。

●こうした安定財源の確保を背景に、待機児童対策、幼児教育・保育の無償化、高等教育の無償化などの取組が進められ、待機児童は一部の地域を除きほぼ解消に向かうなど、一定の成果を挙げた。これらにより、家族関係社会支出の対 GDP 比は、2013 年度の 1.13%から 2020 年度には 2.01%まで上昇した。

●これまで累次にわたり策定されてきた「少子化社会対策大綱」は、2023 年４月に施行されたこども基本法に基づき、こども施策に関する基本的な方針や重要事項等を一元的に定める「こども大綱」に引き継がれることとなった※。

※同月に創設されたこども家庭庁は、結婚、出産又は育児に希望を持つことができる社会環境の整備等少子化の克服に向けた基本的な政策に関する事項の企画及び立案並びに総合調整に関する事務をつかさどることとされている（こども家庭庁設置法（令和４年法律第 75 号）第４条第２項第２号）。

内閣官房「「こども未来戦略」～次元の異なる少子化対策の実現に向けて～」

なお、第１回こども未来戦略会議では、子ども・子育て政策に関する様々なデータが共有されました。以下はその一例です。

家族関係社会支出の対 GDP 比（現金給付・現物給付別）

●我が国の家族関係社会支出は、着実に増加。 近年は特に現物給付を重点的に充実。
●諸外国と比較すると、現金給付の割合が低いとの指摘。

■日本における家族関係社会支出の推移（現金給付・現物給付別）

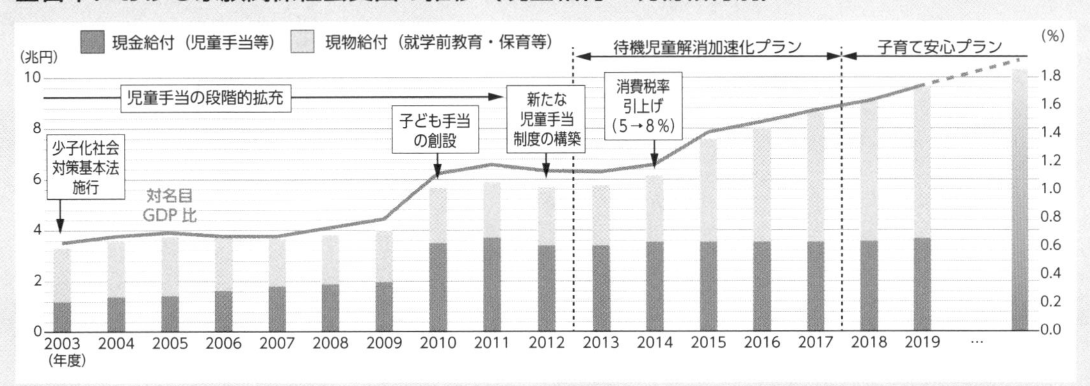

（出所）国立社会保障・人口問題研究所「社会保障費用統計」

資料：2022 年 4 月 13 日財務省財政制度等審議会財政制度分科会資料より。
※「家族関係社会支出」とは、家族を支援するために支出される現金給付及び現物給付（サービス）であり、就学前教育･保育（現物給付）や、児童手当（現金給付）等が含まれる。
※ 2019 年 10 月に幼児教育・保育の無償化を実施したことに伴い、平年度で約 8,900 億円（公費ベース）の増額となる（対名目 GDP 比約 0.16% 相当）。

■家族関係社会支出の国際比較（2019 年）（現金給付・現物給付別）

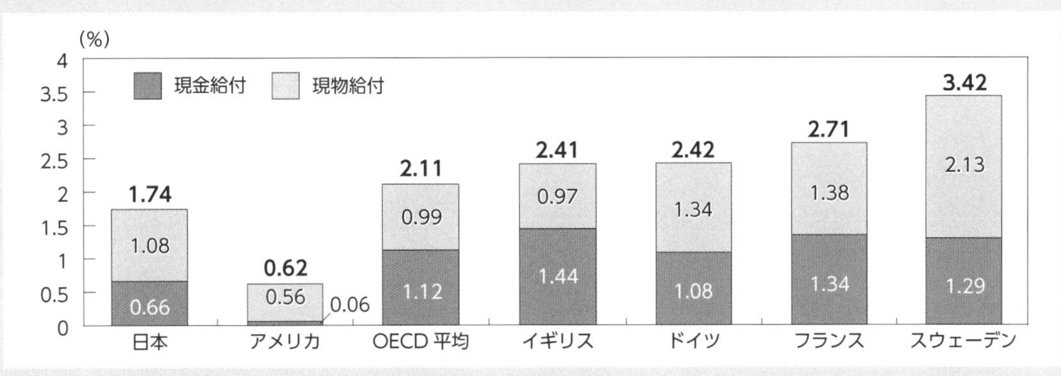

資料：日本は「令和２年度社会保障費用統計」、諸外国は OECD Family Database「PF1.1 Public spending on family benefits」（2019 年）より作成。
※日本については 2019 年度、各国の数値は 2019 年。

第１回 こども未来戦略会議資料「こども・子育て政策の強化について（試案）（参考資料）」より

2 こどもまんなか実行計画

2022（令和４）年に公布され、2023（令和５）年４月に施行されたこども基本法において、「政府は、毎年、国会に、我が国におけるこどもをめぐる状況及び政府が講じたこども施策の実施の状況に関する報告を提出するとともに、これを公表しなければならない」（第８条）、「政府は、こども施策を総合的に推進するため、こども施策に関する大綱を定めなければならない」（第９条）と示されています。また、この大綱（こども大綱）には、少子化社会対策大綱、子供・若者育成支援推進大綱、子どもの貧困対策に関する大綱の内容を含むものでなければならないとされています。

2023（令和５）年 12 月 22 日、こども基本法に基づくはじめての「こども大綱」がまとめられて、閣議決定されました。こども大綱は、こども施策に関する基本的な方針や重要事項等を一元的に定めるものであり、おおむね５年後を目途に見直されます。

こども家庭庁は、具体的に進める施策については、毎年こども大綱の下で「こどもまんなか実行計画」を策定し、骨太の方針や各省庁の概算要求などに反映することにしています。はじめての計画となる「こどもまんなか実行計画 2024」は、2024（令和６）年５月にこども政策推進会議によってまとめられました。

こども大綱との関係

こども大綱（令和5年 12 月 22 日）
根　拠：こども基本法
内　容：こども施策の基本的な方針や重要事項等を記載。
数値目標及びこども・若者等の状況を把握するための指標を設定。
対象期間：おおむね５年後を目途に見直し
決定形式：閣議決定

具体化

こどもまんなか実行計画 2024
根　拠：こども大綱
内　容：こども大綱の下で令和６年度に具体的に取り組む施策を中心にまとめた施策集。
「加速化プラン」等で方向性が示されている施策も記載。
施策の進捗把握のための指標を設定。
対象期間：毎年、改定
決定形式：こども政策推進会議決定

実行計画本文

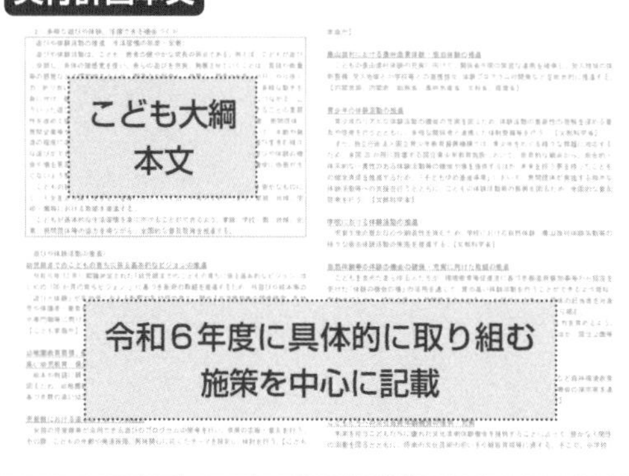

別紙１（工程表）

- 加速化プランの施策を含め、新規・拡充施策などの重要施策を中心に、工程を記載。

別紙２（指標）

- 本文に記載した、具体的に取り組む施策の進捗状況を検証するための指標を整理。

（例）
- 日本人学生等の海外留学生数
- 【子どもの学習・生活支援事業】事業実施地方公共団体数
- スクールカウンセラーが相談を受けた児童生徒等の人数
- いけんひろばの実施回数

こども家庭審議会 基本政策部会（第 12 回）資料「こどもまんなか実行計画 2024 の策定に向けて（案）（概要）」より

3 子ども・子育て支援制度

「子ども・子育て支援法」(平成 24 年法律第 65 号)等に基づく子ども・子育て支援制度が2015(平成 27)年 4 月に本格施行されました。この制度では、幼児期の学校教育・保育、地域の子ども・子育て支援を総合的に推進することとしています。

具体的には、〈1〉認定こども園、幼稚園、保育所を通じた共通の給付(施設型給付)及び小規模保育等への給付(地域型保育給付)の創設、〈2〉認定こども園制度の改善、〈3〉地域の実情に応じた子ども・子育て支援の充実を図るとしています。実施主体を基礎自治体である市町村とし、地域の実情等に応じて幼児期の学校教育・保育、地域の子ども・子育て支援に必要な給付・事業を計画的に実施していくこととしています。

2015(平成 27)年 11 月に、「待機児童解消加速化プラン」に基づく 2017(平成 29)年度末までの保育の受け皿整備目標を 40 万人分から 50 万人分に上積みしたことを受け、2016(平成28)年通常国会(第 190 回国会)において、企業主導型保育事業等を創設するとともに、一般事業主から徴収する拠出金の率の上限を引き上げる等の子ども・子育て支援法の改正が行われました。

また、2019(令和元)年 5 月の子ども・子育て支援法の改正及び子ども・子育て支援法施行令の改正により、2019(令和元)年 10 月から、幼稚園、保育所、認定こども園などを利用する3歳から5歳児クラスの子どもたち及び住民税非課税世帯の0歳から2歳児クラスまでの子どもたちの利用料が無料になっています。同様に地域型保育も無料です。

①子ども・子育て支援制度の概要

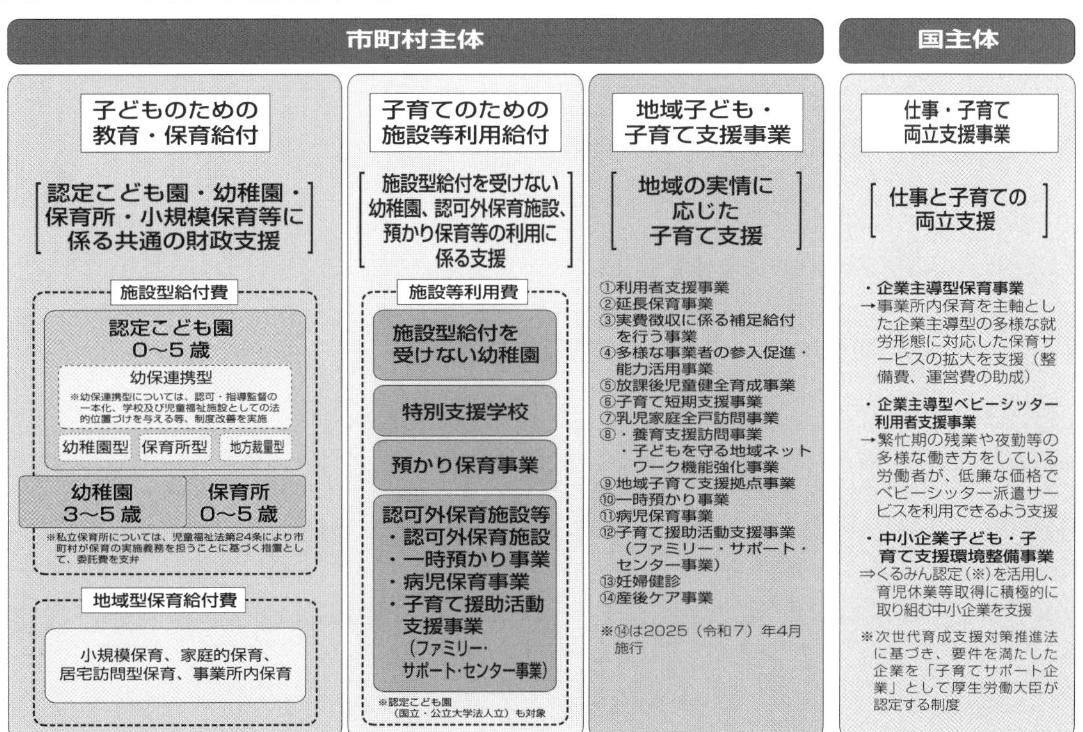

こども家庭庁資料を一部改変

②地域子ども・子育て支援事業の概要

市町村が地域の実情に応じ、市町村子ども・子育て支援事業計画に従って実施する事業です。

事業名	概　要
利用者支援事業	子どもまたはその保護者の身近な場所で、教育・保育施設や地域の子育て支援事業等の情報提供及び必要に応じて相談・助言等を行うとともに、関係機関との連絡調整等を実施する
延長保育事業	保育認定を受けた子どもについて、通常の利用日及び利用時間以外の日及び時間において、認定こども園、保育所等で保育を実施する
実費徴収に係る補足給付を行う事業	保護者の世帯所得の状況等を勘案して、特定教育・保育施設等に対して保護者が支払うべき日用品、文房具その他の教育・保育に必要な物品の購入費用または行事への参加費用等を助成する
多様な事業者の参入促進・能力活用事業	多様な事業者の新規参入を支援するほか、特別な支援が必要な子どもを受け入れる認定こども園の設置者に対して、必要な費用の一部を補助する
放課後児童クラブ（放課後児童健全育成事業）	保護者が労働等により昼間家庭にいない小学校に就学している児童に対し、授業の終了後に小学校の余裕教室、児童館等を利用して適切な遊び及び生活の場を与えて、その健全な育成を図る
子育て短期支援事業	保護者の疾病等の理由により家庭において養育を受けることが一時的に困難となった児童について、児童養護施設等で必要な保護（必要な場合はその保護者への支援を含む）を行う
乳児家庭全戸訪問事業	生後４か月までの乳児がいるすべての家庭を訪問し、子育て支援に関する情報提供や養育環境等の把握を行う
・養育支援訪問事業	養育支援が特に必要な家庭に対して、その居宅を訪問し、養育に関する指導・助言等を行うことにより、当該家庭の適切な養育の実施を確保する
・子どもを守る地域ネットワーク機能強化事業（その他要保護児童等の支援に資する事業）	要保護児童対策地域協議会（子どもを守る地域ネットワーク）の機能強化を図るため、調整機関職員やネットワーク構成員（関係機関）の専門性強化と、ネットワーク構成員間の連携強化を図る取り組みを実施する

事業名	概　要
地域子育て支援拠点事業	乳幼児及びその保護者が相互に交流を行う場所を開設し、子育てについての相談、情報の提供、助言その他の援助を行う
一時預かり事業	家庭において保育を受けることが一時的に困難となった乳幼児や保護者の負担軽減のために一時的に預けられるのが望ましい乳幼児について、主として昼間において、認定こども園、幼稚園、保育所、地域子育て支援拠点その他の場所で一時的に預かり、必要な保護を行う
病児保育事業	病児について、病院・保育所等に付設された専用スペース等において、看護師等が一時的に保育等を実施する
ファミリー・サポート・センター事業（子育て援助活動支援事業）	乳幼児や小学生等の児童を有する子育て中の保護者で児童の預かり等の援助を受けることを希望する者と、当該援助を行うことを希望する者との相互援助活動に関する連絡、調整を行う
妊婦健康診査	妊婦の健康の保持及び増進を図るため、妊婦に対する健康診査として、①健康状態の把握、②検査計測、③保健指導を実施するとともに、妊娠期間中の適時に必要に応じた医学的検査を実施する
産後ケア事業	出産後の母子に対して心身のケアや育児のサポート等を行う（2025（令和７）年４月施行）

※児童福祉法上では、2024（令和６）年４月から、子育てを支援する事業として「子育て世帯訪問支援事業」「児童育成支援拠点事業」「親子関係形成支援事業」が新設される（30頁参照）。また、この３つに「子育て短期支援事業」「一時預かり事業」「養育支援訪問事業」を加えた６事業は「家庭支援事業」と位置づけられ、市町村による利用勧奨・措置が可能となった。

内閣府・文部科学省・厚生労働省
「子ども・子育て支援新制度ハンドブック」を一部改変

③子ども・子育て支援事業計画

子ども・子育て支援事業計画は、子ども・子育て支援法に基づき市町村が策定する、幼児の教育･保育、地域子ども･子育て支援に特化した、５年を１期とする計画です。なお、都道府県では、同様に子ども・子育て支援事業支援計画を策定します。2020（令和２）年度からは、第２期計画の取り組みが始められています。自治体こども計画（26 頁参照）と一体のものとして作成することができます。

④市町村子ども・子育て支援事業計画のイメージ

市町村子ども・子育て支援事業計画は、5年間の計画期間における幼児期の学校教育・保育・地域の子育て支援についての需給計画。（新制度の実施主体として、全市町村で作成。）

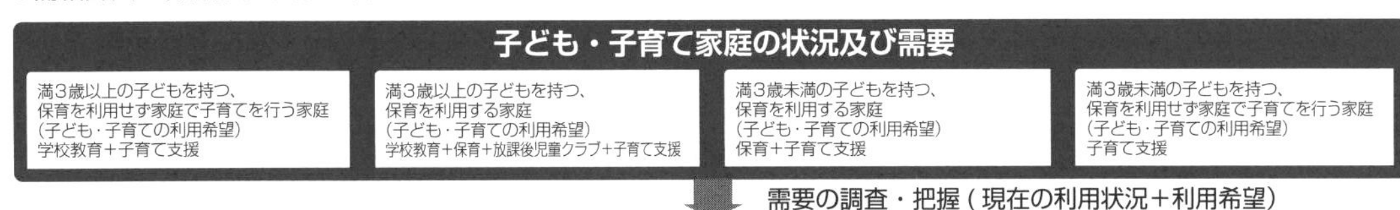

需要の調査・把握（現在の利用状況＋利用希望）

市町村子ども・子育て支援事業計画（５か年計画）

幼児期の学校教育・保育・地域の子育て支援について、「量の見込み」（現在の利用状況＋利用希望）、「確保方策」（確保の内容＋実施時期）を記載。

計画的な整備

子どものための教育・保育給付

認定こども園、幼稚園、保育所＝ 施設型給付の対象※
＊私立保育所については、委託費を支弁

• 小規模保育事業者　• 家庭的保育事業者
• 居宅訪問型保育事業者　• 事業所内保育事業者
＝地域型保育給付の対象※

（施設型給付・地域型保育給付は、早朝・夜間・休日保育にも対応）

地域子ども・子育て支援事業 ※対象事業の範囲は法定

• 地域子育て支援拠点事業　• 一時預かり事業
• 乳児家庭全戸訪問事業等
• 延長保育事業　• 病児保育事業
• 放課後児童クラブ

※ 施設型給付・地域型保育給付の対象は、認可や認定を受けた施設・事業者の中から、市町村の確認を受けたもの

●市町村子ども・子育て支援事業計画のポイント -「量の見込み」、「確保の内容」・「実施時期」

〈 量の見込み 〉
• 幼児期の学校教育・保育・地域子ども・子育て支援事業について、「現在の利用状況＋利用希望」を踏まえて記載（参酌標準）。
　→住民の利用希望の把握が前提。（子ども・子育て支援法第 61 条第４項）

〈 確保の内容・実施時期 〉
• 幼児期の学校教育・保育について、施設（認定こども園、幼稚園、保育所）、地域型保育事業による確保の状況を記載。
• 量の見込みとの差がある場合には、施設・地域型保育事業の整備が必要。
　（例）平成 27 年度に地域型保育事業（50 人分）を整備、平成 28 年度に施設（100 人分）を整備
• 地域子ども・子育て支援事業についても、確保の状況を記載。量の見込みとの差がある場合、事業整備が必要。

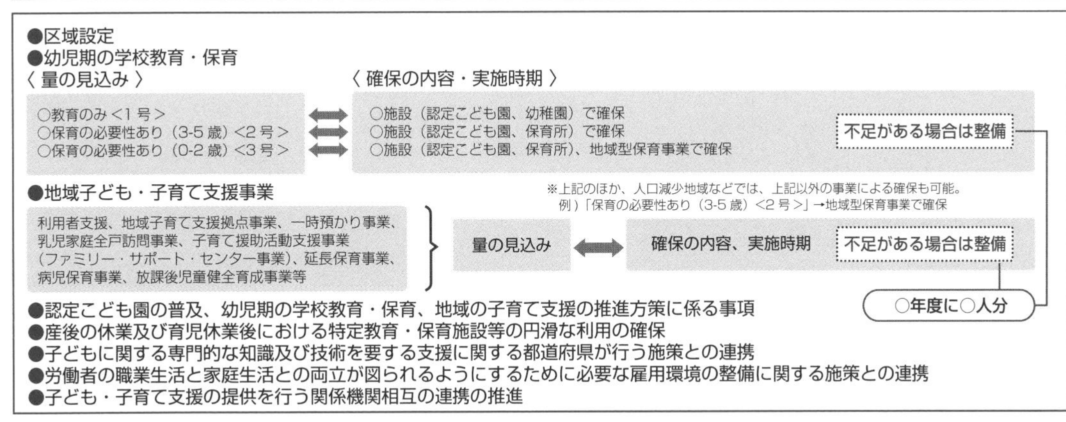

内閣府資料

4 育児休業

①育児・介護休業法

希望するすべての労働者が育児や介護を行いながら安心して働くことができる社会の実現のため、出産後の継続就業率や男性の育児休業取得率の向上等を目指し、育児・介護休業法に基づく仕事と家庭の両立支援制度の整備、両立支援制度を利用しやすい職場環境づくり等が行われています。2021（令和3）年1月からは、施行規則の改正により、子の看護休暇・介護休暇において、取得単位が「1日もしくは半日」単位だったものが、「1時間」単位での取得が可能になりました。また、1日の所定労働時間が4時間以下の労働者は休暇を取得できませんでしたが、「すべての労働者」が取得できるようになりました。さらに、2021（令和3）年6月には男性の育児休業取得促進のための柔軟な枠組みの創設等の法改正が行われ、2022（令和4）年4月から段階的に施行されています。

育児・介護休業法の概要

育児休業
□子が1歳（保育所に入所できないなど、一定の場合は、最長2歳）に達するまでの育児休業の権利を保障（父母ともに育児休業を取得する場合は、子が1歳2か月に達するまでの間の1年間）【パパ・ママ育休プラス】
□子が1歳に達するまでに分割して原則2回まで取得可能（令和4年10月1日施行）

介護休業
□対象家族1人につき、通算93日の範囲内で合計3回まで、介護休業の権利を保障

※有期契約労働者は、子が1歳6か月に達するまでに労働契約（更新される場合には更新後の契約）の期間が満了することが明らかでない場合であれば取得が可能（介護、出生時育児休業（産後パパ育休）も同趣旨）

出生時育児休業（産後パパ育休）（令和4年10月1日施行）
□子の出生後8週間以内に4週間まで出生時育児休業（産後パパ育休）の権利を保障
※2回に分割して取得可能、育児休業とは別に取得可能

子の看護休暇
□小学校就学前の子を養育する場合に年5日（2人以上であれば年10日）を限度として取得できる（1日又は時間単位）

介護休暇
□介護等をする場合に年5日（対象家族が2人以上であれば年10日）を限度として取得できる（1日又は時間単位）

所定外労働・時間外労働・深夜業の制限
□3歳に達するまでの子を養育し、又は介護を行う労働者が請求した場合、所定外労働を制限
□小学校就学前までの子を養育し、又は介護を行う労働者が請求した場合、月24時間、年150時間を超える時間外労働を制限
□小学校就学前までの子を養育し、又は介護を行う労働者が請求した場合、深夜業（午後10時から午前5時まで）を制限

短時間勤務の措置等
□3歳に達するまでの子を養育する労働者について、短時間勤務の措置（1日原則6時間）を義務づけ
□介護を行う労働者について、3年の間で2回以上利用できる次のいずれかの措置を義務づけ　①短時間勤務制度　②フレックスタイム制　③始業・終業時間の繰上げ・繰下げ　④介護費用の援助措置

個別周知・意向確認、育児休業を取得しやすい雇用環境整備の措置（令和4年4月1日施行）
□事業主に、本人又は配偶者の妊娠・出産等の申出をした労働者に対する育児休業制度等の個別の制度周知・休業取得意向確認の義務づけ
□事業主に、育児休業及び出生時育児休業（産後パパ育休）の申出が円滑に行われるようにするため、研修や相談窓口の設置等の雇用環境整備措置を講じることを義務づけ

育児休業の取得状況の公表
□常時雇用する労働者数が1,000人超の事業主に、毎年1回男性の育児休業等の取得状況を公表することを義務づけ

不利益取扱いの禁止等
□事業主が、育児休業等を取得したこと等を理由として解雇その他の不利益取扱いをすることを禁止
□事業主に、上司・同僚等からの育児休業等に関するハラスメントの防止措置を講じることを義務づけ

実効性の確保
□苦情処理・紛争解決援助、調停
□勧告に従わない事業所名の公表

※育児・介護休業法の規定は最低基準であり、事業主が法を上回る措置をとることは可能

厚生労働省「令和6年版 厚生労働白書 資料編」

check! 2024年の雇用保険法等の改正により、両親ともに育児休業を取得した場合に支給する出生後休業支援給付及び育児期に時短勤務を行った場合に支給する育児時短就業給付が創設された（2025年4月1日施行）。

②育児休業取得率の推移

■男女別

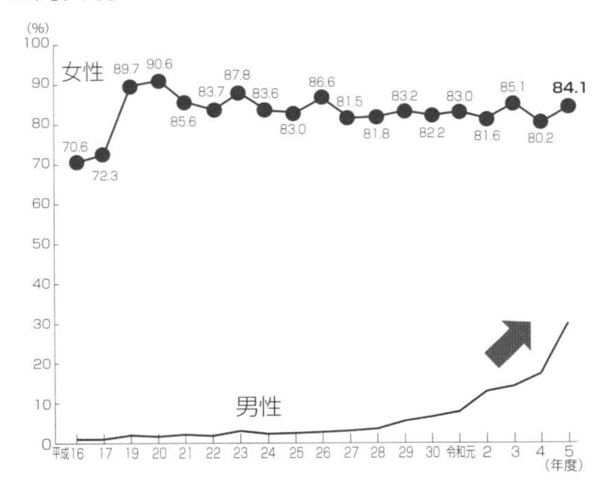

■男性

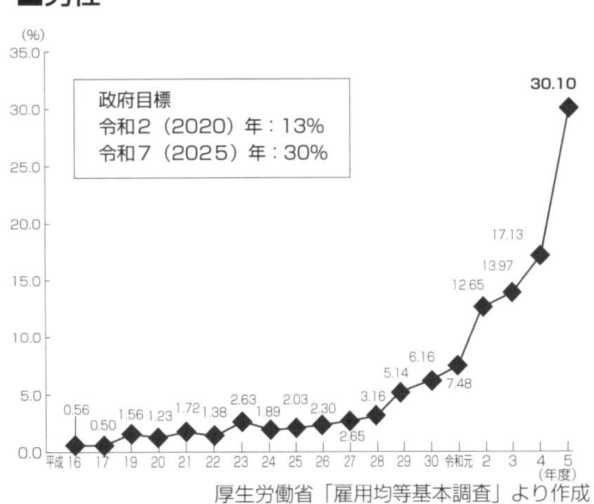

厚生労働省「雇用均等基本調査」より作成

check! 女性の育児休業の取得率は向上したが、男性の育児休業の取得率は、上昇しているものの低い水準でとどまっている。このため、男性の取得促進のための政府目標が示され、柔軟な枠組みの創設を目的とした法改正が行われた。

③子どもの出生年別第１子出産前後の妻の就業経歴

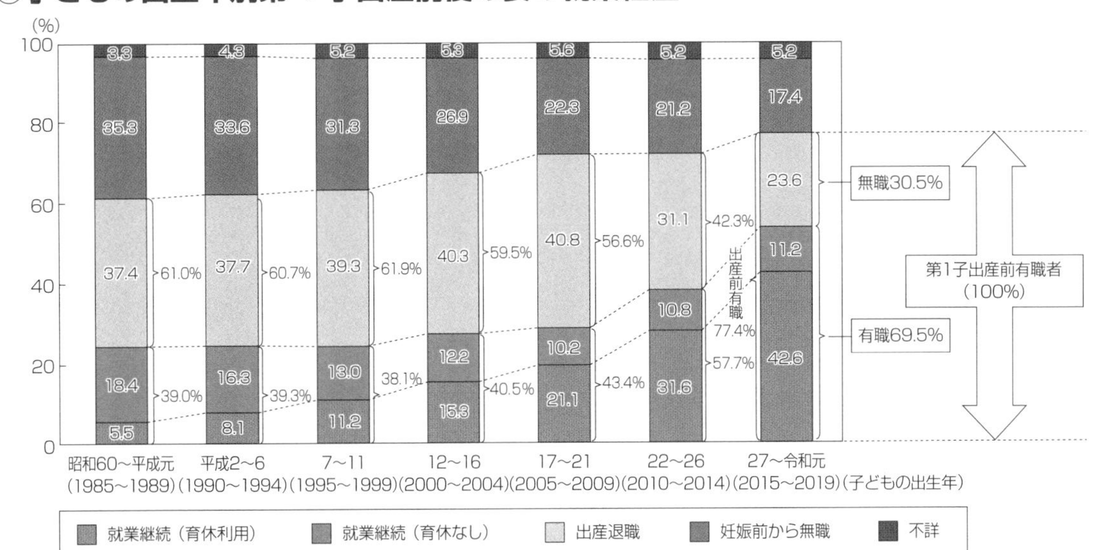

（備考）1. 国立社会保障・人口問題研究所「第16回出生動向基本調査（夫婦調査）」より作成。
2. 第12～16回調査を合わせて集計。対象は第15回以前は妻の年齢50歳未満、第16回は妻が50歳未満で結婚し、妻の調査時年齢55歳未満の初婚どうしの夫婦。第1子が1歳以上15歳未満の夫婦について集計。
3. 出産前後の就業経歴
就業継続（育休利用）―妊娠判明時就業～育児休業取得～子ども1歳時就業
就業継続（育休なし）―妊娠判明時就業～育児休業取得なし～子ども1歳時就業
出産退職　―妊娠判明時就業～子ども1歳時無職
妊娠前から無職　―妊娠判明時無職
4. 「妊娠前から無職」には、子ども1歳時に就業しているケースを含む。育児休業制度の利用有無が不詳のケースは「育休なし」に含めている。

「男女共同参画白書 令和6年版」より作成

check! 第1子出産前に就業していた女性の就業継続率（第1子出産後）は上昇傾向にあり、2015年から2019年に第1子を出産した女性では69.5%。

2 母子保健の施策

わが国の母子保健施策は、母子保健法や児童福祉法等に基づき、母性を対象とする母性保健施策と乳幼児に対する保健施策とを、一貫した体系のもとに行うかたちで進められています。

1 母子保健関連施策の体系

（2022（令和４）年４月現在）

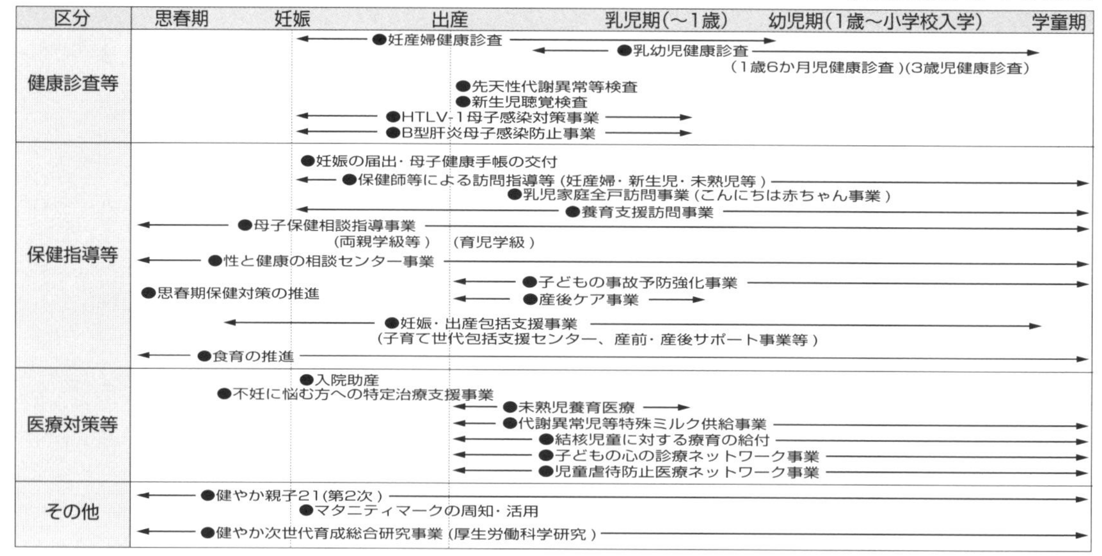

厚生労働省「令和５年版 厚生労働白書 資料編」

2 母子保健事業の推進体制

	市町村（市町村保健センター） ●基本的母子保健サービス		都道府県等（保健所） ●専門的母子保健サービス
健康診査等	・妊産婦、乳幼児（1歳6か月児、3歳児）の健康診査		・先天性代謝異常等検査
保健指導等	・母子健康手帳の交付 ・両親学級、産後ケア等の妊産婦への支援	← 技術的援助	・不妊専門相談、女性の健康教育等
訪問指導	・妊産婦、新生児訪問指導、未熟児訪問指導		
療養援護等	・未熟児養育医療		

厚生労働省「令和５年版 厚生労働白書 資料編」

3 妊娠・出産・子育てまでの切れ目のない包括支援

2016（平成 28）年の児童福祉法、母子保健法等の改正により、市町村には子育て世代包括支援センターと子ども家庭総合支援拠点を置くことが努力義務となりました。両機関とも、専門職員による切れ目のない細やかな支援を行うことが期待されましたが、前者の設置は進んだものの、後者の設置が伸び悩みました。また、子ども家庭総合支援拠点では専門職の確保が難しく、新たに職員を専任で配置する動きが鈍かったことや、スーパービジョンの体制が弱く、児童相談所と業務内容や対応などが近似する状況となり、子どもや保護者の意思を踏まえた伴走型の支援が実現されていないとの指摘がありました。

こういった状況を踏まえ、2022（令和 4）年の児童福祉法等の改正により、2024（令和 6）年 4 月から、子育て世代包括支援センターと子ども家庭総合支援拠点を統合した「こども家庭センター」が発足しました。

しかし、母子保健と比べて子ども家庭相談の歴史は浅く、前述したような課題があることから、両者が実質的に統合し、地域の子どもとその子育てを支えるためには、努力を続けていくことが必要です。

新しいマネジメント体制

【これまでのマネジメント体制】

全国展開に向けて引き続き、設置を促進する

連携が不十分な自治体が多い
↓
支援が届かない

2022 年度末までに
全市町村に設置

子育て世代包括支援センター
（母子健康包括支援センター）

妊産婦、乳幼児（就学前）と
その保護者（重点は妊娠期～3歳）が対象
➡ ポピュレーションアプローチ

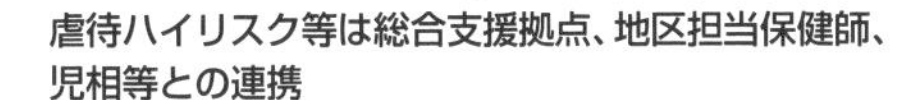

虐待ハイリスク等は総合支援拠点、地区担当保健師、児相等との連携

子ども家庭総合支援拠点

相談内容（虐待相談：約3割）
対応（助言指導・継続指導：約8割）

児童相談所と相談内容・対応が類似

サービスのマネジメントが不十分

【こども家庭センターの実施体制】

こども家庭センターには、組織全体のマネジメントができる**責任者であるセンター長を1名**、母子保健及び児童福祉双方の業務について十分な知識を有し、**俯瞰して判断することのできる統括支援員を1か所あたり1名配置する。**
統括支援員は、子育て世代包括支援センター・子ども家庭総合支援拠点に配置される職員の資格（例えばこども家庭ソーシャルワーカーなど）等を有している者や十分な経験がある者が望ましい。
（一体的支援の主な業務フロー）
①妊娠の届出、乳幼児健康診査等の機会を通じて、保健師等が支援の必要な家庭を把握し、個別の妊産婦等を対象としたサポートプランを策定。
②合同ケース会議を開催し、統括支援員を中心として、特定妊婦や要支援児童等の該当性判断や支援方針の検討·決定。
③子ども家庭支援員等が保健師等と協働しながらサポートプランを更新し、当事者に手交。
④更新されたサポートプランは、子ども家庭支援員等と保健師等が適宜、連携・協働して、サポートプランに基づく支援を実施。
※職員配置については、今後、財政支援と併せて検討。

こども家庭庁こども支援局虐待防止対策課「こども家庭センターについて（令和5年度保健師中央会議資料4）」から抜粋し作成

4 母子保健の水準

母子保健の水準は、出生率、乳児死亡率、周産期死亡率、妊産婦死亡率などの指標によって表されます。乳児死亡率は母体の健康状態・養育条件などの影響を受けるため、その国や地域の衛生状態の良否、経済や教育を含めた社会状況を反映する指標の１つとされています。

乳児死亡率の年次推移―諸外国との比較

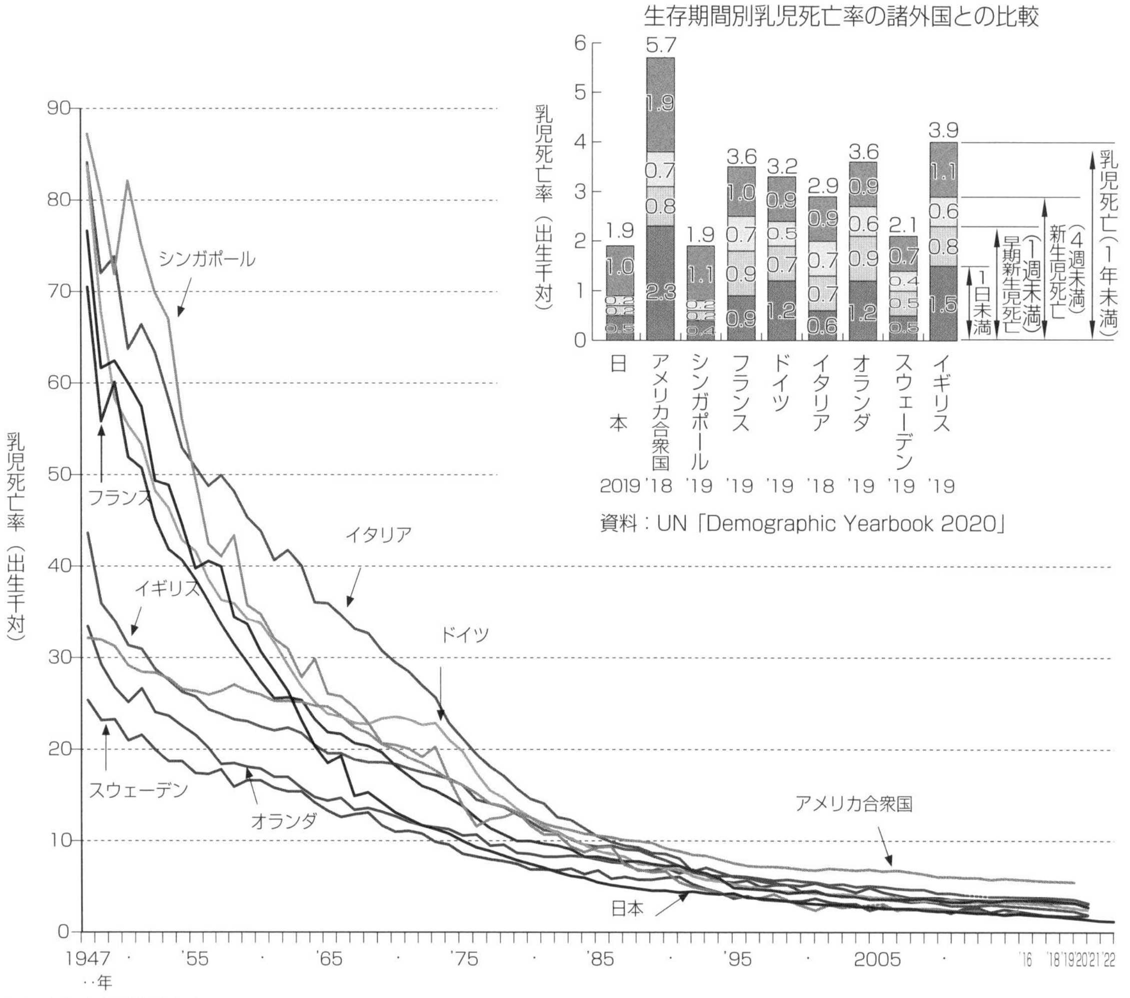

注：1）点線は数値なし。
　　2）ドイツの 1990 年までは旧西ドイツの数値である。
資料：UN「Demographic Yearbook 2020」

【乳児死亡率　最新年の数値】

日本	アメリカ合衆国	シンガポール	フランス	ドイツ	イタリア	オランダ	スウェーデン	イギリス
2023	2019	2021	2020	2021	2021	2021	2021	2021
1.8	5.6	2.0	3.4	3.0	2.3	3.3	1.8	4.0

出典：厚生労働省「令和5年人口動態統計」、国立社会保障・人口問題研究所「人口統計資料集 2024 年改訂版」より作成

5 母子保健施策の推進

①「健やか親子 21」

子どもの健やかな成長と子育て世代の親を支える社会を築くための国民運動計画「健やか親子21」が進められています。

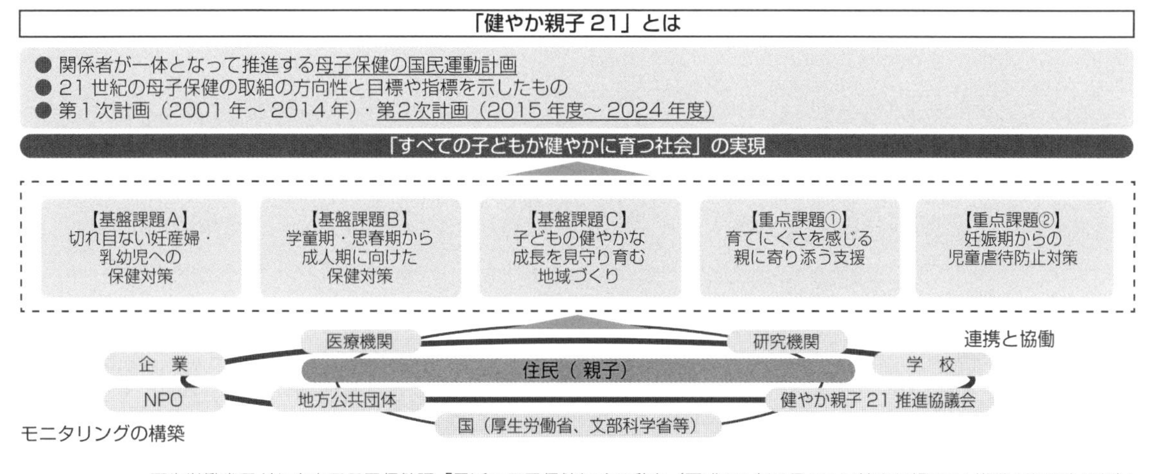

厚生労働省子ども家庭局母子保健課「最近の母子保健行政の動向（平成 31 年2月 27 日健やか親子21推進本部総会資料）」

②成育医療等の提供に関する施策の総合的な推進に関する基本的な方針

2018（平成 30）年に公布された「成育過程にある者及びその保護者並びに妊産婦に対し必要な成育医療等を切れ目なく提供するための施策の総合的な推進に関する法律」（成育基本法）を受けて、2021（令和 3）年 2 月 9 日に「成育医療等の提供に関する施策の総合的な推進に関する基本的な方針」が閣議決定され、その後 2023（令和5）年 3 月に全面改定されました。

成育医療等の提供に関する施策の総合的な推進に関する基本的な方針 概要 令和３年２月９日閣議決定

基本的方向　成育過程にある者等を取り巻く環境が大きく変化している中で、成育医療等の提供に当たっては、医療、保健、教育、福祉などのより幅広い関係分野での取組の推進が必要であることから、各分野における施策の相互連携を図りつつ、その需要に適確に対応し、子どもの権利を尊重した成育医療等が提供されるよう、成育過程にある者等に対して横断的な視点での総合的な取組を推進する。

成育医療等の提供に関する施策に関する基本的な事項

⑴成育過程にある者及び妊産婦に対する医療
①周産期医療等の体制
②小児医療等の体制
③その他成育過程にある者に対する専門的医療等
▶循環器病対策基本法等に基づく循環器病対策の推進 等

⑵成育過程にある者等に対する保健
①総　論　▶妊娠期から子育て期にわたるまでの様々なニーズに対する地域における相談支援体制の整備の推進 等
②妊産婦等への保健施策　▶産後ケア事業の全国展開等を通じた、成育過程にある者とその保護者等の愛着形成の促進 等
③乳幼児期における保健施策　▶乳幼児健診等による視覚及び聴覚障害や股関節脱臼等の早期発見及び支援体制の整備 等
④学童期及び思春期における保健施策
▶生涯の健康づくりに資する栄養・食生活や運動等の生活習慣の形成のための健康教育の推進 等
⑤生涯にわたる保健施策　▶医療的ケア児等について各関連分野が共通の理解に基づき協働する包括的な支援体制の構築 等
⑥子育てや子どもを持つ家庭への支援
▶地域社会全体で子どもの健やかな成長を見守り育む地域づくりの推進 等

⑶教育及び普及啓発
①学校教育及び生涯学習　▶妊娠・出産等に関する医学的・科学的に正しい知識の普及・啓発の学校教育段階からの推進 等
②普及啓発　▶「健やか親子 21（第2次）」を通じた子どもの成長や発達に関する国民全体の理解を深めるための普及啓発の促進 等

⑷記録の収集等に関する体制等
①予防接種、乳幼児健康診査、学校における健康診断に関する記録の収集、管理・活用等に関する体制、データベースその他の必要な施策 ▶ PHR
②成育過程にある者が死亡した場合におけるその死亡原因に関する情報の収集、管理・活用等に関する体制、データベースその他の必要な施策 ▶ CDR 等

⑸調査研究
⑹災害時等における支援体制の整備
⑺成育医療等の提供に関する推進体制等

その他の成育医療等の提供に関する施策の推進に関する事項

成育過程にある者等に対し必要な成育医療等を切れ目なく提供するための施策を総合的に推進

第 49 回社会保障審議会児童部会配布資料

③ 保育の施策

1 子ども・子育て支援制度の施行状況

2015（平成 27）年４月に本格施行された「子ども・子育て支援制度」は、幼児期の学校教育･保育、地域の子ども･子育て支援を総合的に推進し、「量的拡充」や「質の向上」を図ることで、すべての子どもが健やかに成長できる社会の実現を目指したものです。

市町村は、潜在ニーズを含め地域の保育需要等を踏まえた「子ども・子育て支援事業計画」を策定し、必要な子ども・子育て支援を計画的に実施することとされています。

保育の受け皿である保育所等の定員は、2024(令和６）年４月時点で、約 304 万人（前年比約 0.6 万人の減少）となりました。2024(令和６）年４月における認定こども園数は、10,483 となり、施行前である 2014（平成 26）年４月における 1,360 に比べ、7.7 倍に増えました。特定地域型保育事業は､2024(令和６)年４月現在､全国で 7,516 件となっています。一方で、少子化が著しく進み、日本全体の人口構造の変化に対応した今後の保育行政のあり方の検討が始まっています。

保育所等定員数・利用児童数・保育所等数の推移

■保育所等定員数及び利用児童数の推移

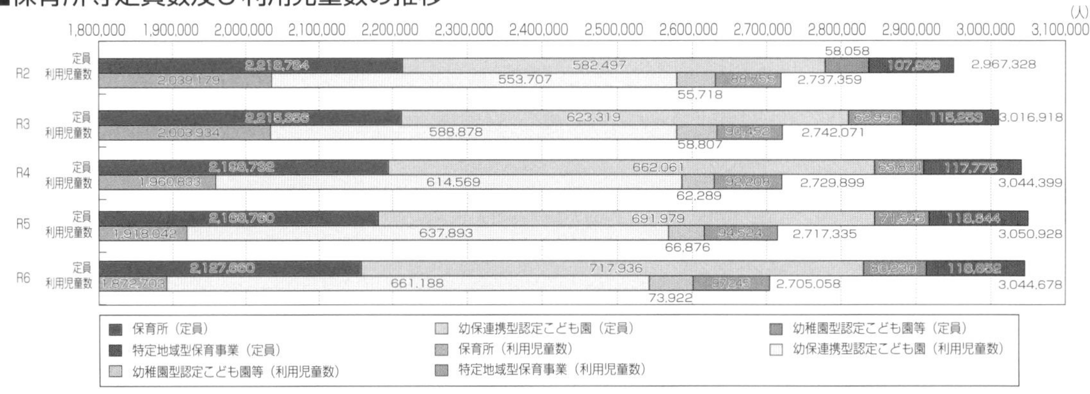

■保育所等数の推移

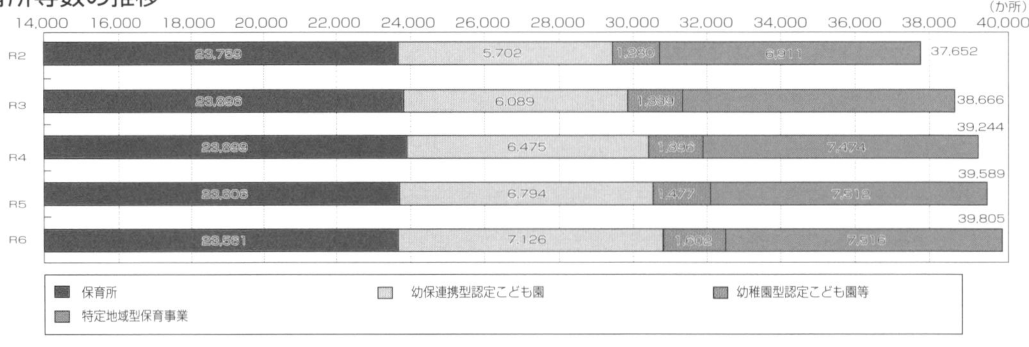

こども家庭庁「保育所等関連状況取りまとめ（令和６年４月１日)」より作成

2 認可保育所

「認可保育所」は、一定の基準に則り都道府県知事等が認可した保育所で、児童福祉施設の設備及び運営に関する基準を遵守し、保育所保育指針に基づく保育を行う児童福祉施設です。また、認可保育所の保育は、養護と教育を一体的に行うことをその特性としています。

保育所について

保育所

保育を必要とする乳児・幼児を日々保護者の下から通わせて保育を行うことを目的とする施設（児童福祉法第 39 条第 1 項）
- 認可：都道府県等（都道府県、政令市又は中核市）
- 国の基準に「従い」又は国の基準を「参酌」して都道府県等が条例で定める基準の遵守
- 保育時間：原則8時間（設備運営基準第 34 条）
- 「保育所保育指針」に基づき、児童の発達に応じた保育を提供（設備運営基準第 35 条）
- 通常保育以外に延長保育（補助）、休日保育（加算）、夜間保育（加算）等を行う保育所もある。

※設備運営基準　児童福祉施設の設備及び運営に関する基準（昭和 23 年厚生省令第 63 号）

対象及び手続き

〈私立保育所の場合〉

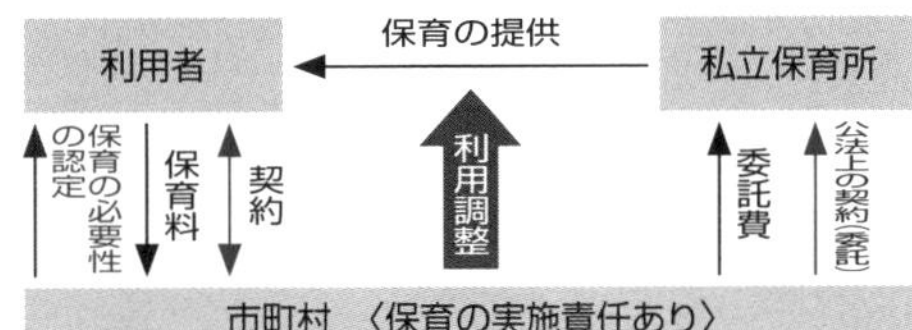

※児童福祉法第 24 条において、保育所における保育は市町村が実施することとされていることから、私立保育所における保育の費用については、施設型給付ではなく、現行制度と同様に、市町村が施設に対して、保育に要する費用を委託費として支払う。（子ども・子育て支援法附則第6条）この場合の契約は、市町村と利用者の間の契約となり、利用児童の選考や保育料の徴収は市町村が行うこととなる。

〈公立保育所の場合〉

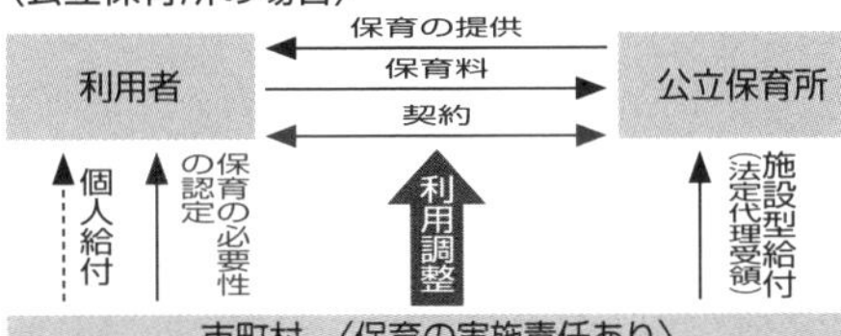

※施設型給付については、保護者に対する個人給付を基礎とし、確実に学校教育・保育に要する費用に充てるため、居住市町村から法定代理受領する仕組みとする（保育料等は施設が利用者から徴収）。（子ども・子育て支援法第 27 条）契約については、市町村の関与の下、保護者が自ら施設を選択し、保護者が施設と契約する公的契約とし、施設の利用の申込みがあったときは、「正当な理由」がある場合を除き、施設に応諾義務を課す。

保育所の設備運営基準

- 保育所の基準は、**児童福祉施設の設備及び運営に関する基準（昭和 23 年厚生省令第 63 号）で区分された「従うべき基準」「参酌すべき基準」に従い、**都道府県・指定都市・中核市が条例により定める。

[従うべき基準の主な内容]

〈職員配置基準〉
- 保育士
  - 0歳児　3人に保育士1人（3：1）
  - 1・2歳児　6：1
  - 3歳児　15：1　　• 4歳以上児　25：1

  ※ただし、保育士は最低2名以上配置
- 保育士のほか、嘱託医及び調理員は必置

  ※調理業務を全て委託する場合は、調理員を置かなくても可

〈設備の基準〉
- 0、1歳児を入所させる保育所：乳児室又はほふく室及び調理室
  - ▶乳児室の面積：1.65㎡以上／人
  - ほふく室の面積：3.3㎡以上／人
- 2歳以上児を入所させる保育所：保育室又は遊戯室及び調理室
  - ▶保育室又は遊戯室の面積：1.98㎡以上／人

[参酌すべき基準の主な内容]
- 屋外遊戯場の設置
- 耐火上の基準
- 保護者との密接な連絡
- 必要な用具の備え付け
- 保育時間

※従うべき基準であっても地方自治体がこれを上回る基準を定めることは可能である。

厚生労働省子ども家庭局保育課「保育を取り巻く状況について（令和 3 年 5 月 26 日）」を一部改変

①認可保育所の年齢階層別入所児童の推移

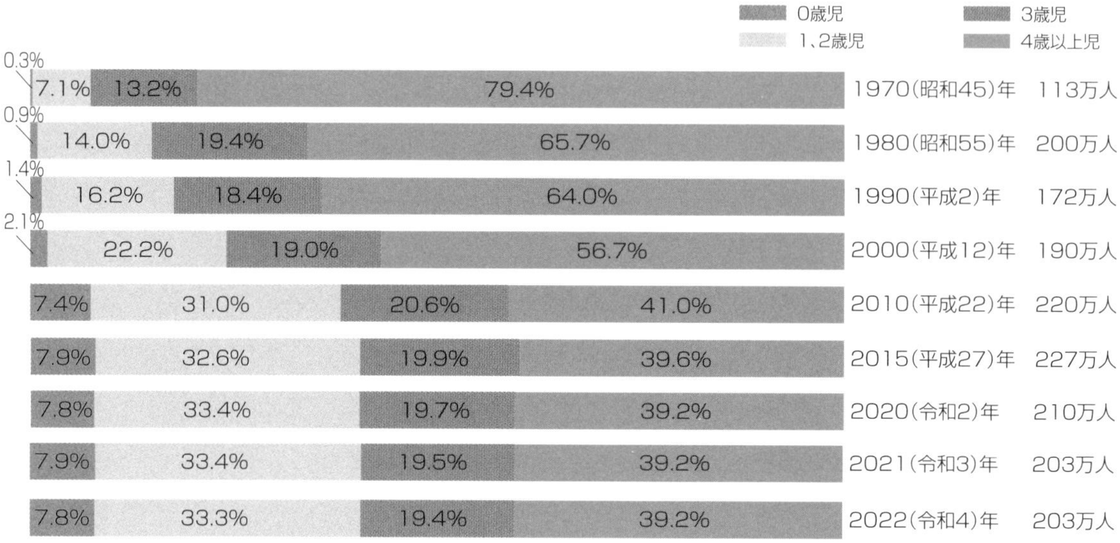

年	0歳児	1、2歳児	3歳児	4歳以上児	入所児童数
1970(昭和45)年	0.3%	7.1%	13.2%	79.4%	113万人
1980(昭和55)年	0.9%	14.0%	19.4%	65.7%	200万人
1990(平成2)年	1.4%	16.2%	18.4%	64.0%	172万人
2000(平成12)年	2.1%	22.2%	19.0%	56.7%	190万人
2010(平成22)年	7.4%	31.0%	20.6%	41.0%	220万人
2015(平成27)年	7.9%	32.6%	19.9%	39.6%	227万人
2020(令和2)年	7.8%	33.4%	19.7%	39.2%	210万人
2021(令和3)年	7.9%	33.4%	19.5%	39.2%	203万人
2022(令和4)年	7.8%	33.3%	19.4%	39.2%	203万人

厚生労働省「社会福祉施設等調査報告［平成 22 年以降は福祉行政報告例］（各年 10 月 1 日現在）」

check! 2000 年では 2 割強であった 0 ～ 2 歳児の割合が、近年は 4 割を超えるまでになっている。

②認可保育所を中心とした多様な保育

保護者の就労形態が多様化するなど、多様なニーズに対応するため、認可保育所を中心に次のような事業が実施されています。

事業名	事業内容	実施か所数
一時預かり	子育て家庭における保護者の休養・急病や育児疲れ解消等に対応するため、子どもを一時的に預かり保育すること。	10,509 か所 2022（令和 4）年度
延長保育	保護者の就労形態の多様化、通勤時間の増加等により通常保育時間では間に合わない事態に対応するため、朝・晩に時間を延長して保育を行うこと。	29,535 か所 2022（令和 4）年度
夜間保育	夜間（午後10時まで）において保育を実施すること。	73 か所 2023（令和 5）年度
休日保育	日曜日、国民の祝日等において保育を実施すること。	1,199 か所 2015（平成 27）年度
病児保育	子どもが病気の際に自宅での保育が困難な場合、病気の児童を一時的に保育すること。 ①病児対応型、②病後児対応型、③体調不良児対応型、④非施設型（訪問型）の４種類。	4,141 か所 2022（令和 4）年度
医療的ケア児保育	保育所等において医療的ケア児を受け入れ、看護師の配置や保育士の研修受講により、医療的ケアを提供して保育を行うこと。「保育所等での医療的ケア児の支援に関するガイドライン」に基づいて実施される。	792 か所 2022（令和 4）年度

（注）実施か所数については、認可保育所以外の施設で実施する場合も含む。ただし、休日保育については、認可保育所（私立）又は地域型保育事業所での実施のものに限る。

3 認定こども園

教育・保育を一体的に行う施設で、幼稚園と保育所の両方の良さを併せ持っている施設です。以下の機能を備え、認可・認定の基準を満たす施設は、都道府県等から認可・認定を受けることができます。

①就学前の子どもを、保護者が働いている、いないにかかわらず受け入れて、教育と保育を一体的に行う機能

②子育て相談や親子の集いの場の提供等地域における子育ての支援を行う機能

幼保連携型認定こども園における教育・保育は、幼保連携型認定こども園教育・保育要領に基づいて実施されます。

認定こども園の類型

幼保連携型
幼稚園的機能と保育所的機能の両方の機能を併せ持つ単一の施設として、認定こども園の機能を果たすタイプ

幼稚園型
幼稚園が、保育を必要とする子どものための保育時間を確保するなど、保育所的な機能を備えて認定こども園の機能を果たすタイプ

保育所型
認可保育所が、保育を必要とする子ども以外の子どもも受け入れるなど、幼稚園的な機能を備えることで認定こども園の機能を果たすタイプ

地方裁量型
認可保育所以外の保育機能施設等が、保育を必要とする子ども以外の子どもも受け入れるなど、幼稚園的な機能を備えることで認定こども園の機能を果たすタイプ

厚生労働省子ども家庭局保育課「保育を取り巻く状況について」

4 地域型保育事業

保育需要の増加に対応するため、子ども・子育て支援制度の施行にあわせて、6人以上19人以下の子どもを保育する「小規模保育」、5人以下の子どもを保育する「家庭的保育」、従業員の子どものほか本来事業に支障のない範囲で地域の子どもを保育する「事業所内保育」、子どもの居宅において家庭的保育者が保育する「居宅訪問型保育」の4つの事業を「児童福祉法」（昭和22年法律第164号）に位置づけ、市町村の認可事業としました（2022年4月1日現在:7,342件（うち「小規模保育事業」5,930件、「家庭的保育事業」848件、「事業所内保育事業」674件、「居宅訪問型保育事業」22件））。

地域型保育事業の位置づけ

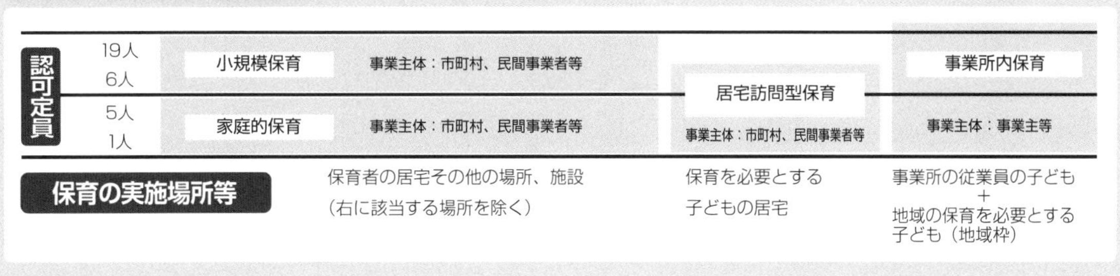

認可定員			
19人〜6人	小規模保育　事業主体：市町村、民間事業者等	居宅訪問型保育　事業主体：市町村、民間事業者等	事業所内保育　事業主体：事業主等
5人〜1人	家庭的保育　事業主体：市町村、民間事業者等		
保育の実施場所等	保育者の居宅その他の場所、施設（右に該当する場所を除く）	保育を必要とする子どもの居宅	事業所の従業員の子ども＋地域の保育を必要とする子ども（地域枠）

内閣府資料

5 企業主導型保育事業

企業主導型保育事業では、働き方に応じた多様で柔軟な保育サービスが提供できます（延長・夜間、土日の保育、短時間・週２日のみの利用も可能）。複数企業による共同設置、他企業との共同利用や、本来事業に支障のない範囲で地域住民の子どもの受け入れを行います。2024（令和６）年４月１日現在、企業主導型保育施設は 4,387 か所あります。

6 認可外保育施設

「認可外保育施設」とは、児童福祉法に基づく都道府県知事などの認可を受けていない保育施設のことで､「認証保育所」などの地方単独保育事業の施設も対象に含みます。設置にあたっては、都道府県知事などへの届出が義務づけられています。「ベビーホテル」とは､①夜８時以降の保育、②宿泊を伴う保育、③一時預かりの子どもが利用児童の半数以上、のいずれかを常時運営している施設をいいます。

指導監督は、これらの施設が、児童を保育するのにふさわしい内容や環境を確保しているかを確認するため、都道府県などが立入調査するものです。立入調査は、原則として年１回以上行うことになっています。なお、やむを得ず立入調査の対象を絞る場合でも、ベビーホテルについては必ず年１回以上行うことになっています。

全国の認可外保育施設数の推移

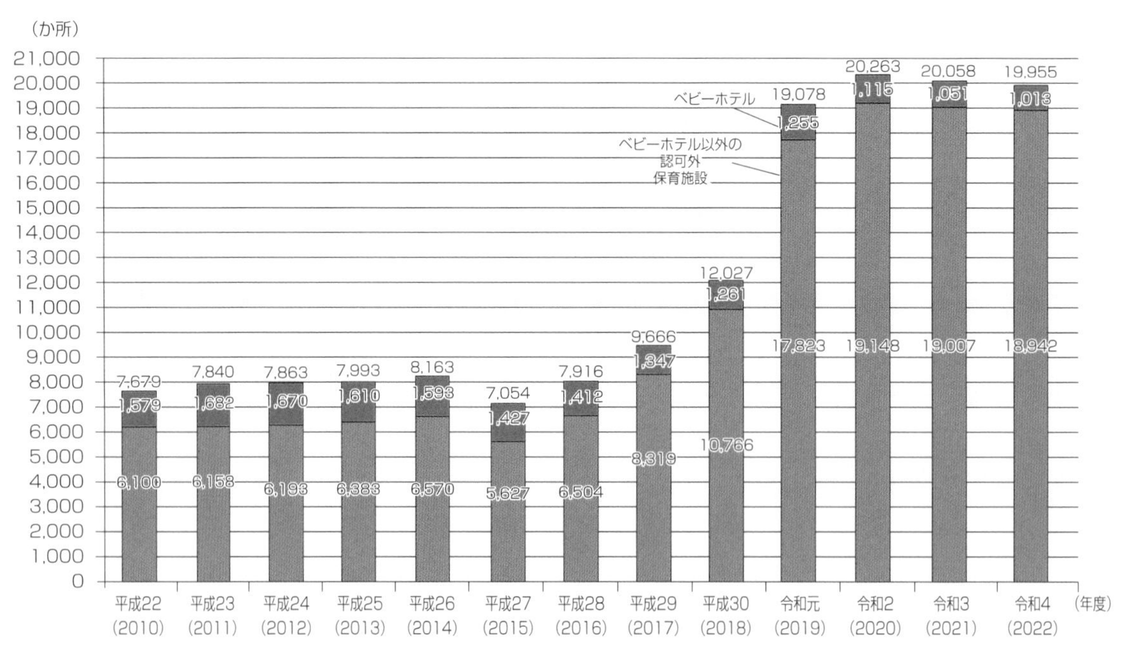

厚生労働省「認可外保育施設の現況取りまとめ」より作成

7 保育所保育指針（平成 29 年厚生労働省告示第117号）について

旧保育所保育指針の施行（2009（平成 21）年４月１日）後、2015（平成 27）年４月から子ども・子育て支援制度が施行され、また０～２歳児を中心とした保育所利用児童数が増加しているなど、保育をめぐる状況は大きく変化しました。

このような状況の下、社会保障審議会児童部会保育専門委員会において「保育所保育指針の改定に関する議論のとりまとめ」が公表されました。これを受け、新たな保育所保育指針が 2017（平成 29）年3月 31 日に公示され、2018（平成 30）年4月1日から適用されました。

保育所保育指針の改定に関する議論のとりまとめの概要

背景（保育をめぐる近年の状況）

- 現行の指針は平成 20 年に告示。その後の以下のような社会情勢の変化を踏まえ、改定について検討。
- 「量」と「質」の両面から子どもの育ちと子育てを社会全体で支える「子ども・子育て支援新制度」の施行（平成 27 年４月）
- ０～2 歳児を中心とした保育所利用児童数の増加（1･2 歳児保育所等利用率27.6%（H20)→38.1%（H27))
- 子育て世帯における子育ての負担や孤立感の高まり、児童虐待相談件数の増加（42,664 件（H20）→ 103,286 件（H27)）等

1. 保育所保育指針の改定の方向性

⑴**乳児・１歳以上３歳未満児の保育に関する記載の充実**
この時期の保育の重要性、０～２歳児の利用率の上昇等を踏まえ、３歳以上児とは別に項目を設けるなど記載内容を充実（特に乳児保育については、「身近な人と気持ちが通じ合う」「身近なものと関わり感性が育つ」「健やかに伸び伸びと育つ」という視点から、記載内容を整理・充実）。

⑵**保育所保育における幼児教育の積極的な位置づけ**
保育所保育も幼児教育の重要な一翼を担っていること等を踏まえ、卒園時までに育ってほしい姿を意識した保育内容や保育の計画・評価の在り方等について記載内容を充実。主体的な遊びを中心とした教育内容に関して、幼稚園、認定こども園との整合性を引き続き確保。

⑶**子どもの育ちをめぐる環境の変化を踏まえた健康及び安全の記載の見直し**
子どもの育ちをめぐる環境の変化を踏まえ、食育の推進、安全な保育環境の確保等に関して、記載内容を見直し。

⑷**保護者・家庭及び地域と連携した子育て支援の必要性**
保護者と連携して「子どもの育ち」を支えるという視点を持って、子どもの育ちを保護者とともに喜び合うことを重視するとともに、保育所が行う地域における子育て支援の役割が重要になっていることから、「保護者に対する支援」の章を「子育て支援」に改め、記載内容を充実。

⑸**職員の資質・専門性の向上**
職員の資質・専門性の向上について、保育士のキャリアパスの明確化を見据えた研修機会の充実なども含め、記載内容を充実。

2. 改定の方向性を踏まえた構成の見直し

1. の「改定の方向性」を踏まえ、以下のように章構成を見直し。

具体的な章構成（案）

第１章 総則
①保育所保育に関する基本原則 ②養護に関する基本的事項 ③保育の計画及び評価 ④幼児教育を行う施設として共有すべき事項

第２章 保育の内容
①乳児保育に関わるねらい及び内容 ②1 歳以上3 歳未満児の保育に関わるねらい及び内容 ③3 歳以上児の保育に関わるねらい及び内容 ④保育の実施に関して留意すべき事項

第３章 健康及び安全
①子どもの健康支援 ②食育の推進 ③環境及び衛生管理並びに安全管理 ④災害への備え

第４章 子育て支援
①保育所における子育て支援に関する基本的事項 ②保育所を利用している保護者に対する子育て支援 ③地域の保護者等に対する子育て支援

第５章 職員の資質向上
①職員の資質向上に関する基本的事項 ②施設長の責務 ③職員の研修等 ④研修の実施体制等

3. 幼保連携型認定こども園の保育に関する事項

⑴**保育の内容**
保育指針との整合性を確保、指針改定の方向性を踏襲。

⑵**多様な在園児への配慮**
一人一人の生活の流れを考えて創意工夫。

⑶**２歳児から３歳児への移行の配慮**
３歳までの育ちを理解・受容し、家庭との連携の下で、発達の連続性に配慮。

4. その他の課題

⑴**小規模保育、家庭的保育等への対応**
指針が準用されることを想定し、記載を工夫。

⑵**周知に向けた取組**
指針の趣旨･内容が関係者に理解されるよう、解説書を作成。

⑶**保育の質の向上に向けて**
改定が保育の質向上の契機となり、全ての子どもの健やかな育ちの実現へとつながることが重要。

社会保障審議会児童部会保育専門委員会資料（平成 28 年 12 月 21 日）

8 今後の保育所・保育士等の在り方に関する検討

待機児童数が減少する一方で、多様な保育ニーズに応じることや、子どもの数や生産年齢人口の減少、地域のつながりの希薄化が指摘され、保育が子育ての安心感に寄与することをはじめとして地域における保育の提供の在り方を検討する動きが始まっています。

新子育て安心プランの概要

令和3年度から令和6年度末までの4年間で約 14 万人分の保育の受け皿を整備する。

- 第2期市町村子ども・子育て支援事業計画の積み上げを踏まえ、保育の受け皿を整備。
- できるだけ早く待機児童の解消を目指すとともに、女性(25 ～ 44 歳)の就業率の上昇に対応。

(参考)平成 31 年:77.7%、現行の子育て安心プランは 80%に対応、令和7年の政府目標:82%(第2期まち・ひと・しごと創生総合戦略)

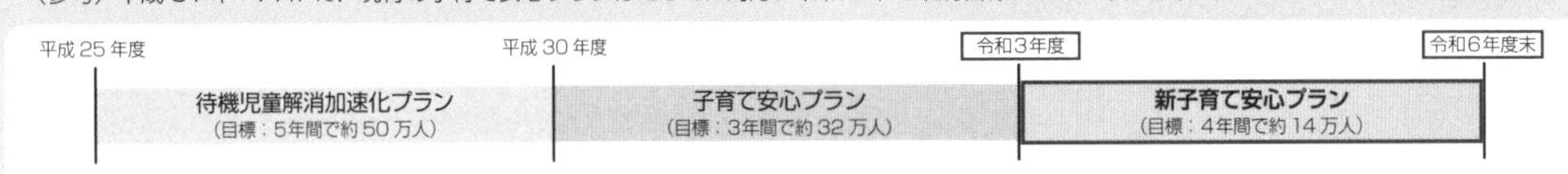

●新子育て安心プランにおける支援のポイント

①地域の特性に応じた支援

●保育ニーズが増加している地域への支援
(例)
- 新子育て安心プランに参加する自治体への整備費等の補助率の嵩上げ

●人口減少地域の保育の在り方の検討

●マッチングの促進が必要な地域への支援
(例)
- 保育コンシェルジュによる相談支援の拡充(待機児童数が 50 人未満である市区町村でも新子育て安心プランに参画すれば利用可能とする)
- 巡回バス等による送迎に対する支援の拡充(送迎バスの台数や保育士の配置に応じたきめ細かな支援を行う)

②魅力向上を通じた保育士の確保

(例)
- 保育補助者の活躍促進(「勤務時間 30 時間以下」との補助要件を撤廃)
- 短時間勤務の保育士の活躍促進
(待機児童が存在する市町村において各クラスで常勤保育士1名必須との規制をなくし、それに代えて2名の短時間保育士で可とする)
- 保育士・保育所支援センターの機能強化
(現職保育士の就業継続に向けた相談を補助対象に追加)

③地域のあらゆる子育て資源の活用

(例)
- 幼稚園の空きスペースを活用した預かり保育(施設改修等の補助を新設)や小規模保育(待機児童が存在する市区町村において利用定員の上限(19 人)を弾力化(3人増し→6人増しまで可とする))の推進
- ベビーシッターの利用料助成の非課税化【令和3年度税制改正で対応】
- 企業主導型ベビーシッターの利用補助の拡充(1日1枚→1日2枚)
- 育児休業等取得に積極的に取り組む中小企業への助成事業の創設

人口減少地域における保育に関する主な指摘

人口減少地域等における保育の在り方について検討を進めるべきとの指摘がある。

少子化社会対策大綱(令和2年5月 29 日閣議決定)(抄)
Ⅰ－1⑶ 男女共に仕事と子育てを両立できる環境の整備
(保育の受け皿整備の一層の加速)
●地域の実情に応じた保育の実施
- 人口減少地域等における保育の在り方についての検討を進める。

子ども・子育て支援新制度施行後5年の見直しに係る対応方針について(令和元年 12 月 10 日子ども・子育て会議)(抄)
⑼都市部とは違った形での人材確保対策など、人口減少地域における保育の継続のための支援策
地域ごとに異なる具体的状況に応じた保育の在り方については、少子高齢化の急速な進行も踏まえ、離島・へき地を含めた人口減少地域等における保育に関するニーズの見通しや取組事例を把握するための実態調査の実施など、その実態の把握や対応策として何が考えられるかの検討に着手すべきである。また、保育所等の空きスペースを活用した児童発達支援の実施の方策なども検討すべきである。

厚生労働省子ども家庭局保育課「保育を取り巻く状況について」より作成

9 不適切保育の対応のガイドライン

全国各地の保育所等において虐待等が行われていたという事案が相次いだために、国は、2022（令和4)年 12 月に全国的な実態調査を実施しました。そして 2023(令和 5)年 5 月に、こども家庭庁が「保育所等における虐待等の防止及び発生時の対応等に関するガイドライン」をまとめ、不適切な保育や虐待等の考え方の明確化を行うとともに、保育所等における虐待等の防止及び発生時の対応に関して、保育所等や自治体にそれぞれ求められる事項等について示し、改めて取り組みを進めることとしました。

「虐待等」と「虐待等と疑われる事案（不適切な保育)」の概念図

こども家庭庁「保育所等における虐待等の防止及び発生時の対応等に関するガイドライン」

10 幼児期までのこどもの育ちに係る基本的なビジョン

こども家庭審議会に設置された「幼児期までのこどもの育ち部会」において、「幼児期までのこどもの育ち」に着目し、すべての人と共有したい理念や基本的な考え方が整理され、2023（令和5）年 12 月 1 日に答申がとりまとめられました。この答申を踏まえ、政府において、社会全体の認識共有を図りつつ、政府全体の取り組みを強力に推進するための羅針盤として、「幼児期までのこどもの育ちに係る基本的なビジョン」が同年 12 月 22 日に閣議決定されました。

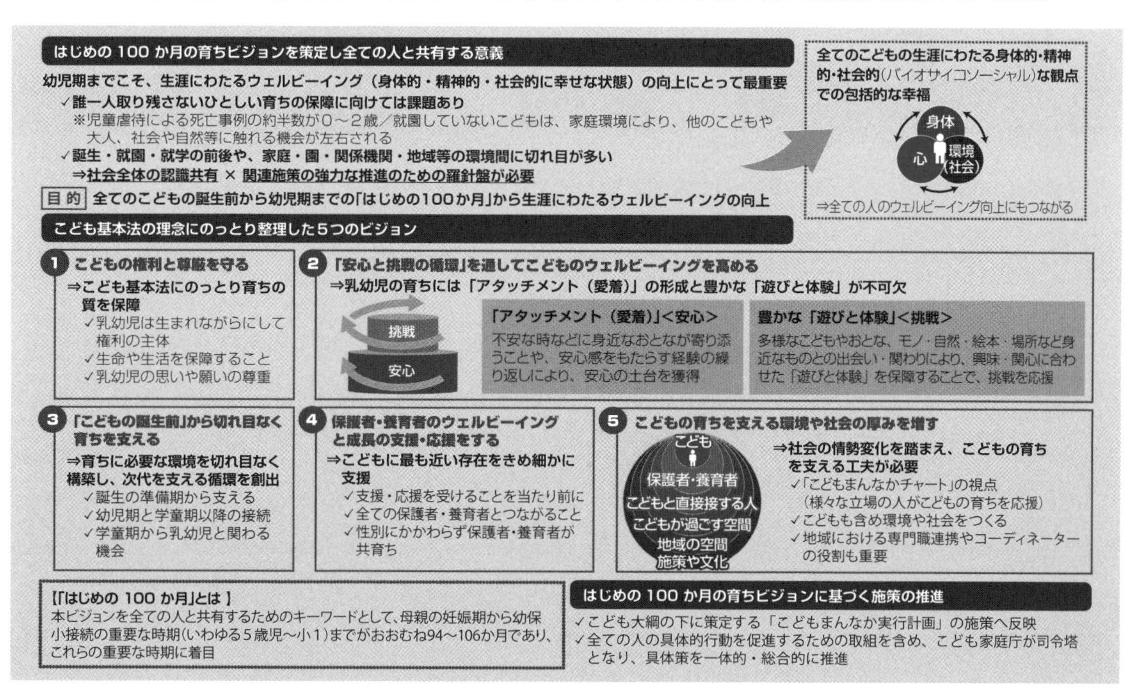

こども家庭庁「幼児期までのこどもの育ちに係る基本的なビジョン（はじめの 100 か月の育ちビジョン）【概要】」

11 こども誰でも通園制度の創設

2024（令和６）年に公布された「子ども・子育て支援法等の一部を改正する法律」により、保育所等に通っていない満３歳未満の子どもの通園のための給付（こども誰でも通園制度）が創設されました。2026（令和８）年４月１日から施行されます。

こども誰でも通園制度の創設【子ども・子育て支援法、児童福祉法、社会福祉法 等】

○保育所等に通っていないこどもへの支援を強化する観点から、現行の「子どものための教育・保育給付」とは別に、**新たに「乳児等のための支援給付」を創設**する。
○**利用対象者は、満３歳未満で保育所等に通っていないこども**（※1）とし、**月一定時間までの利用可能枠の中で利用が可能**。
（※1）０歳６か月までは制度として伴走型相談支援事業等があることや、多くの事業所で０歳６か月以前から通園の対象とするということはこどもの安全を確保できるのか十分留意が必要になるなどの課題があり、０歳６か月から満３歳未満を基本的に想定。
○本制度を行う事業所について、市町村による指定（認可・確認）の仕組み、市町村による指導監査、勧告等を設けることとする。また、子ども・子育て支援金制度の創設に伴い、財源の一つとして**子ども・子育て支援納付金を位置づける**。 等

【本格実施に向けたスケジュール】

令和５年度～	令和７年度	令和８年度
○制度の本格実施を見据えた試行的事業（※2） ・108 自治体に内示（令和６年１月 17 日現在） ・補助基準上一人当たり「月 10 時間」を上限	○法律上制度化し、実施自治体数を拡充 ・法律の地域子ども・子育て支援事業の一つとして位置づけ	○法律に基づく新たな給付制度 ・全自治体で実施（※3） ・利用枠は、月 10 時間以上であって体制の整備の状況その他の事情を勘案して内閣府令で定める時間

（※2）補正予算で前倒しし、令和５年度中の開始も可能となるよう支援
（※3）令和８年度から内閣府令で定める月一定時間の利用可能枠での実施が難しい自治体においては、３時間以上であって内閣府令で**定める月一定時間の利用可能枠の範囲内で利用可能枠を設定することを可能とする経過措置**を設ける。（令和８・９年度の２年間の経過措置）

こども家庭庁資料

12 こども性暴力防止法

2024（令和６）年に学校設置者等及び民間教育保育等事業者による児童対象性暴力等の防止等のための措置に関する法律（こども性暴力防止法）が公布され、教育や保育等を行う事業者が、従事者による子どもへの性暴力を防ぐ措置を講じることが義務づけられました。

学校設置者等及び民間教育保育等事業者による児童対象性暴力等の防止等のための措置に関する法律(令和６年法律第69 号)の概要

法律の趣旨

児童対象性暴力等が児童等の権利を著しく侵害し、児童等の心身に生涯にわたって回復し難い重大な影響を与えるものであることに鑑み、児童等に対して教育、保育等の役務を提供する事業を行う立場にある学校設置者等及び認定を受けた民間教育保育等事業者が**教員等及び教育保育等従事者による児童対象性暴力等の防止等の措置**を講じることを義務付けるなどする。

法律の概要

1．学校設置者等及び民間教育保育等事業者の責務等
学校設置者等（学校、児童福祉施設等）及び民間教育保育等事業者（学習塾等）について、その教員等及び教育保育等従事者による児童対象性暴力等の防止に努めるとともに、被害児童等を適切に保護する責務を有することを規定

2．学校設置者等が講ずべき措置
学校設置者等が講ずべき措置として以下のものを規定
・教員等に研修を受講させること、児童等との面談・児童等が相談を行いやすくするための措置
・教員等としてその業務を行わせる者について、４に掲げる仕組みにより特定性犯罪前科の有無を確認
→これらを踏まえ、児童対象性暴力等が行われるおそれがある場合の防止措置（教育、保育等に従事させないこと等）を実施
・児童対象性暴力等の発生が疑われる場合の調査、被害児童等の保護・支援

3．民間教育保育等事業者の認定及び認定事業者が講ずべき措置
・内閣総理大臣は、２に掲げる学校設置者等が講ずべき措置と同等のものを実施する体制が確保されている事業者について、認定・公表
・認定事業者には２に掲げるものと同等の措置実施を義務付け
・認定事業者は、認定の表示可能
・認定事業者に対する内閣総理大臣の監督権限の規定を創設

4．犯罪事実確認の仕組み等
・２及び３の対象事業者が内閣総理大臣に対して申請従事者の犯罪事実を確認する仕組みを創設する。当該仕組みにおいては、対象となる従事者本人も関与する仕組みとする。
・内閣総理大臣は、対象事業者から申請があった場合、以下の期間における特定性犯罪（痴漢や盗撮等の条例違反を含む）前科の有無について記載した犯罪事実確認書を対象事業者に交付する。ただし、前科がある場合は、あらかじめ従事者本人に通知。本人は通知内容の訂正請求が可能
ア　拘禁刑（服役）：刑の執行終了等から 20 年
イ　拘禁刑（執行猶予判決を受け、猶予期間満了）：裁判確定日から 10 年
ウ　罰金：刑の執行終了等から 10 年
・犯罪事実確認書等の適正な管理（情報の厳正な管理・一定期間経過後の廃棄等）

5．その他
・この法律に定める義務に違反した場合には児童福祉法等に規定する報告徴収等の対象となること等を規定【学校教育法、児童福祉法、就学前の子どもに関する教育、保育等の総合的な提供の推進に関する法律】
・施行後３年を目途とした見直し・検討規定

施行期日

施行期日：公布の日（令和６年６月 26 日）から 起算して２年６月を超えない範囲において政令で定める日

こども家庭庁資料

④ 地域の子ども家庭のための施策

すべての児童のより健やかな成育を支援するための施策を、一般には児童健全育成施策と呼んでいます。児童厚生施設のほか、地域を基盤として母親たちが児童健全育成活動を行う地域組織活動（母親クラブ数 1,036、会員数 38,324 人／令和元年 10 月 1 日現在）、放課後児童クラブの設置運営、児童委員・主任児童委員（児童委員数 231,353 人。うち主任児童委員数 21,418 人／令和 4 年度現在）による子どもの見守り・相談・援助、児童福祉文化財の普及などが行われています。

1 児童厚生施設数の推移

児童に健全な遊びを与えて、その健康を増進し、又は情操をゆたかにすることを目的とする施設で、児童館・児童センター、児童遊園を指します。

児童館・児童遊園数の推移

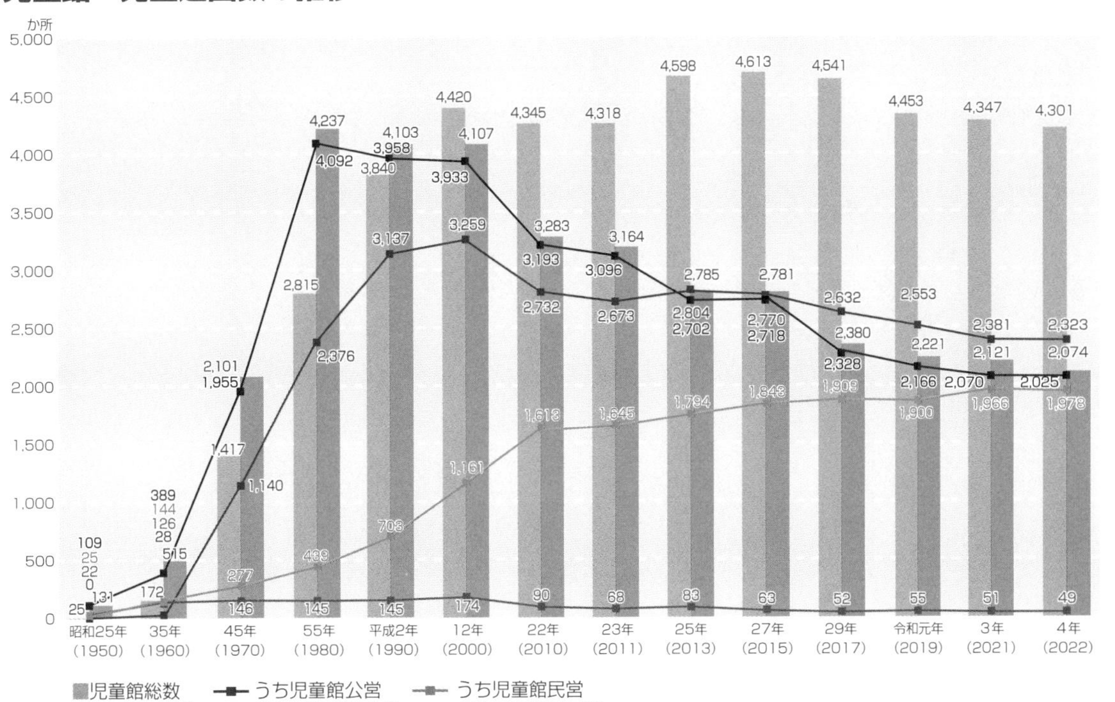

厚生労働省「社会福祉施設等調査」

check! 児童館は屋内、児童遊園は屋外の児童厚生施設である。児童館数はおおむね横ばいであるが、放課後児童クラブのための施設として近年新設の動きもある。

2 放課後児童健全育成事業（放課後児童クラブ）

①クラブ数、登録児童数及び待機児童数の推移

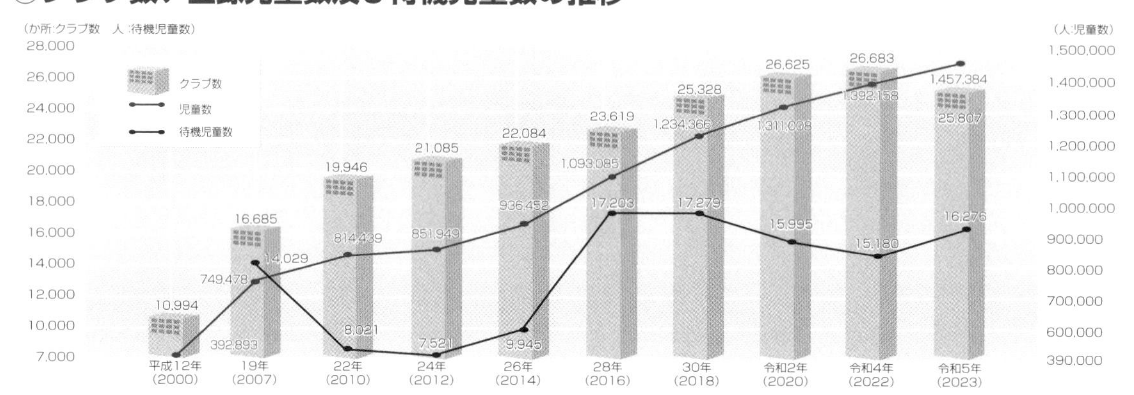

厚生労働省「放課後児童健全育成事業（放課後児童クラブ）の実施状況」

check! 近年、クラブ数も登録児童数も共に増加している。2018～2021年にかけては待機児童が減少していたが、2021～2022年にかけて再び増加し、深刻な状況が続いている。

②放課後児童クラブの実施状況（2023（令和5）年5月1日現在）

■規模別実施状況

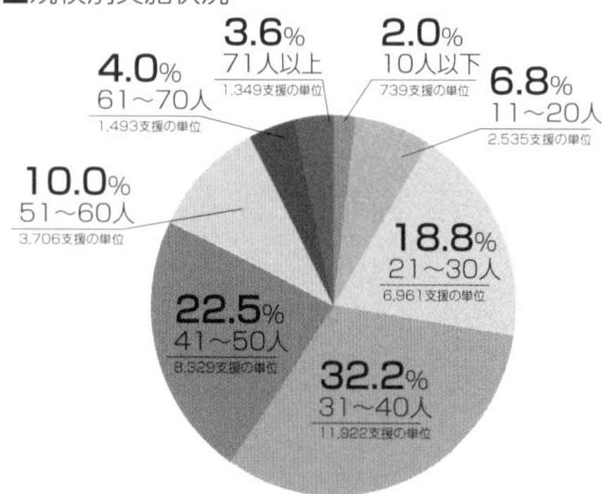

■設置場所の状況

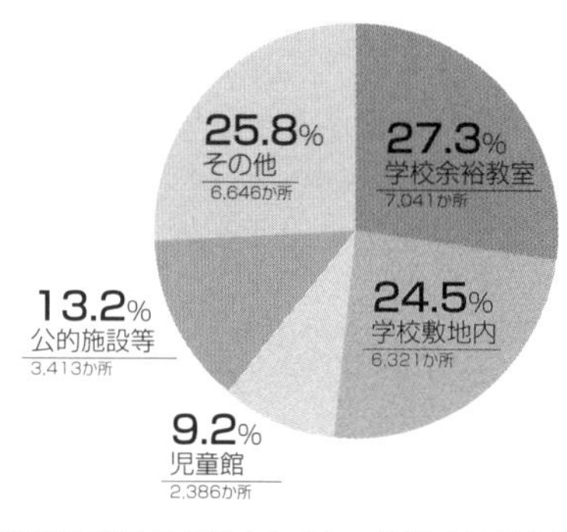

（注）「支援の単位」とは、「放課後児童健全育成事業の設備及び運営に関する基準」により、児童の集団の規模を示す新たな基準として導入したもの。

■設置・運営主体別クラブ数の状況

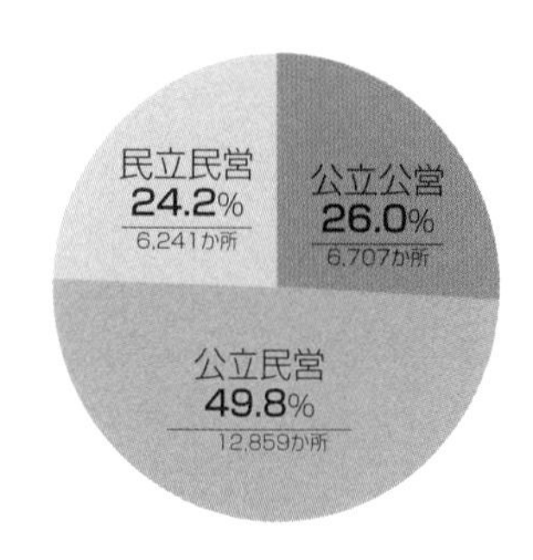

■クラブを実施する自治体の割合の推移

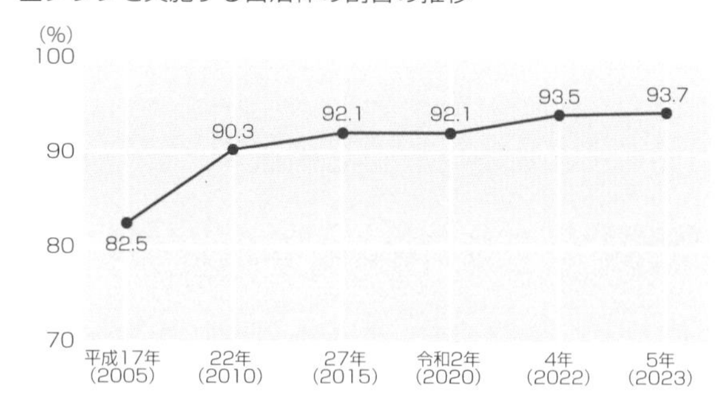

厚生労働省「放課後児童健全育成事業（放課後児童クラブ）の実施状況」

3 放課後児童対策パッケージ

厚生労働省と文部科学省は、次代を担う人材を育成し、加えて共働き家庭等が直面する「小１の壁」を打破する観点から、「放課後子ども総合プラン」（2014（平成 26）年７月策定）、「新・放課後子ども総合プラン」（2018（平成 30）年９月策定）を策定し、放課後児童対策を推し進めてきました。

受け皿の整備が追い風となってさらなる利用希望を喚起したことや、安全・安心な居場所を求める声の増大により放課後児童クラブのニーズは年々増加していましたが、新型コロナウイルス感染症の影響、放課後児童クラブの活動に関わる人材の確保、実施場所の確保などが課題となり、放課後児童クラブの受け皿整備が当初の見込みを下回り、2023（令和５）年度末までに目標である 152 万人分の受け皿整備を達成することは困難となりました。

このような状況を受けて、放課後児童対策を一層強化し、子どものウェルビーイングの向上と共働き・共育ての推進を図るため、2023（令和５）～ 2024（令和６）年度に集中的に取り組むべき対策である「放課後児童対策パッケージ」がまとめられました。

- 「新・放課後子ども総合プラン」最終年度にあたり、受け皿確保（152万人分）や待機児童対策に集中的に取り組んできたが、目標の達成は困難な状況。
- 放課後児童対策の一層の強化を図るため、こども家庭庁と文部科学省が連携し、予算・運用等の両面から集中的に取り組むべき対策として、とりまとめた。
- 「こども未来戦略」における加速化プラン期間中、早期の受け皿整備の達成に向け、本パッケージは令和5～6年度に取り組む内容をまとめたものである。

1．放課後児童対策の具体的な内容について

放課後児童クラブの実施状況（R5.5.1） 登録児童 145.7万人 待機児童 1.6万人
（R5.10.1）登録児童 139.9万人 待機児童 0.8万人

（1）放課後児童クラブの受け皿整備等の推進

放課後児童クラブを開設する場の確保
①放課後児童クラブ施設整備の補助率の嵩上げ【R5補正】
②学校（校舎、敷地）内における放課後児童クラブの整備推進
③学校外における放課後児童クラブの整備推進（補助引き上げ）【R5から実施】
④賃貸物件等を活用した放課後児童クラブの受け皿整備の推進（補助引き上げ）【R6拡充】
⑤学校施設や保育所等の積極的な活用

放課後児童クラブを運営する人材の確保
①放課後児童クラブにおける常勤職員配置の改善【R6拡充】
②放課後児童クラブに従事する職員に対する処遇改善
③ICT化の推進による職員の業務負担軽減【R5補正】
④育成支援の周辺業務を行う職員の配置による業務負担軽減

適切な利用調整（マッチング）
①正確な待機児童数把握の推進
②放課後児童クラブ利用調整支援事業や送迎支援の拡充による待機児童と空き定員のマッチングの推進等（補助引き上げ）【R6拡充】

その他
①待機児童が多数発生している自治体へ両省庁から助言
②コミュニティ・スクールの仕組みを活用した放課後児童対策の推進
③更なる待機児童対策（夏季休業の支援等）に係る調査・検討

（2）全てのこどもが放課後を安全・安心に過ごすための強化策

放課後児童対策に従事する職員やコーディネートする人材の確保
①放課後児童クラブにおける常勤職員配置の改善（再掲）
②地域学校協働活動推進員の配置促進等による地域学校協働活動の充実

多様な居場所づくりの推進
①放課後児童クラブと放課後子供教室の「校内交流型」「連携型」の推進
②こどもの居場所づくりの推進（モデル事業、コーディネーター配置）【R5補正】
③コミュニティ・スクールの仕組みを活用した放課後児童対策の推進（一部再掲）
④特別な配慮を必要とする児童への対応
⑤朝のこどもの居場所づくりの推進（好事例周知等）

質の向上に資する研修の充実等
①放課後児童対策に関する研修の充実
②性被害防止、不適切な育成支援防止等への取組
③事故防止への取組
④幼児期から学童期に渡っての切れ目のない育ちの支援

2．放課後児童対策の推進体制について

（1）市町村、都道府県における役割・推進体制
①市町村の運営委員会、都道府県の推進委員会の継続実施
②総合教育会議の活用による総合的な放課後児童対策の検討

（2）国における役割・推進体制
①放課後児童対策に関する二省庁会議の継続実施
②放課後児童対策の施策等の周知

3．その他留意事項について

（1）放課後児童対策に係る取組のフォローアップについて
①放課後児童クラブの整備〈152万人の受け皿整備を進め、できる限り早期に待機児童解消へ〉
②放課後児童クラブと放課後子供教室の連携〈同一小学校区内でできる限り早期に全てを連携型へ〉
③学校施設を活用した放課後児童クラブの整備〈新規開設にあたり所管部局が求める場合、できる限り早期に全て学校施設を活用できるように〉

（2）子ども・子育て支援事業計画との連動について

（3）こども・子育て当事者の意見反映について

こども家庭庁資料

4 地域子育て支援拠点事業

地域子育て支援拠点事業とは、子育て中の親子が気軽に集い、相互交流や子育ての不安・悩みを相談できる拠点で、全国に 8,016 か所設置されています（2023（令和 5）年度）。公共施設や保育所、児童館等の地域の身近な場所で、乳幼児のいる子育て中の親子の交流や育児相談、情報提供等を実施します。NPO など多様な主体の参画による地域の支え合い、子育て中の当事者による支え合いにより、地域の子育て力の向上をめざします。

地域子育て支援拠点事業の実施形態（一般型・連携型）

形態	一般型	連携型
機能	常設の地域の子育て拠点を設け、地域の子育て支援機能の充実を図る取組を実施	児童館等の児童福祉施設等多様な子育て支援に関する施設に親子が集う場を設け、子育て支援のための取組を実施
実施主体	市町村（特別区及び一部事務組合を含む。）（社会福祉法人、NPO法人、民間事業者等への委託等も可）	
基本事業	①子育て親子の交流の場の提供と交流の促進 ③地域の子育て関連情報の提供	②子育て等に関する相談・援助の実施 ④子育て及び子育て支援に関する講習等の実施
実施形態	①～④の事業を子育て親子が集い、うち解けた雰囲気の中で語り合い、相互に交流を図る常設の場を設けて実施 ・地域の子育て拠点として地域の子育て支援活動の展開を図るための取組（加算） 一時預かり事業や放課後児童クラブなど多様な子育て支援活動を拠点施設で一体的に実施し、関係機関等とネットワーク化を図り、よりきめ細かな支援を実施する場合に、「地域子育て支援拠点事業」本体事業に対して別途加算を行う ・出張ひろばの実施（加算） 常設の拠点施設を開設している主体が、週1～2回 、1日5時間以上、親子が集う場を常設することが困難な地域に出向き 、出張ひろばを開設 ・地域支援の取組の実施（加算）※ ①地域の多様な世代との連携を継続的に実施する取組 ②地域の団体と協働して伝統文化や習慣・行事を実施し、親子の育ちを継続的に支援する取組 ③地域ボランティアの育成、町内会、子育てサークルとの協働による地域団体の活性化等地域の子育て資源の発掘・育成を継続的に行う取組 ④家庭に対して訪問支援等を行うことで地域とのつながりを継続的に持たせる取組 ※利用者支援事業を併せて実施する場合は加算しない。 ・配慮が必要な子育て家庭等への支援（加算） 配慮が必要な子育て家庭等の状況に対応した交流の場の提供等ができるよう、専門的な知識等を有する職員を配置等した場合に加算を行う ・研修代替職員配置（加算） 職員が研修に参加した際、代替職員を配置した場合に加算を行う ・育児参加促進講習の休日実施（加算） 両親等が共に参加しやすくなるよう休日に育児参加促進に関する講習会を実施した場合に加算を行う	①～④ の事業を児童館等の児童福祉施設等で従事する職員等のバックアップを受けて効率的かつ効果的に実施 ・地域の子育て力を高める取組の実施（加算） 拠点施設における中・高校生や大学生等ボランティアの日常的な受入・養成の実施 ・配慮が必要な子育て家庭等への支援（加算） 配慮が必要な子育て家庭等の状況に対応した交流の場の提供等ができるよう、専門的な知識等を有する職員を配置等した場合に加算を行う ・研修代替職員配置（加算） 職員が研修に参加した際、代替職員を配置した場合に加算を行う ・育児参加促進講習の休日実施（加算） 両親等が共に参加しやすくなるよう休日に育児参加促進に関する講習会を実施した場合に加算を行う
従事者	子育て支援に関して意欲があり、子育てに関する知識・経験を有する者（2名以上）	子育て支援に関して意欲があり、子育てに関する知識・経験を有する者（1名以上）に児童福祉施設等の職員が協力して実施
実施場所	公共施設空きスペース、商店街空き店舗、民家、マンション・アパートの一室、保育所、幼稚園、認定こども園等を活用	児童館等の児童福祉施設等
開設日数等	週3～4日、週5日、週6～7日／1日5時間以上	週3～4日、週5～7日／1日3時間以上

こども家庭庁「地域子育て支援拠点事業とは（概要）」を一部改変

5 利用者支援事業

子ども及びその保護者等、または妊娠している人がそれぞれの選択に基づき、教育・保育・保健その他の子育て支援を円滑に利用できるよう、情報提供及び相談・助言等を行うとともに、関係機関との連絡調整等や地域の子育て資源の育成などを実施するもので、基本型、特定型、こども家庭センター型の 3 つの類型があります。

施策の目的

子育て家庭や妊産婦が、教育・保育施設や地域子ども・子育て支援事業、保健・医療・福祉等の関係機関を円滑に利用できるように、身近な場所での相談や情報提供、助言等必要な支援を行うとともに、関係機関との連絡調整、連携・協働の体制づくり等を行う。

施策の内容

基本型（基本Ⅰ型～Ⅲ型）

●「利用者支援」と「地域連携」の2つの柱で構成 。

【利用者支援】⇒当事者の目線に立った、寄り添い型の支援
地域子育て支援拠点等の身近な場所で、子育て家庭等から日常的に相談を受け、個別のニーズ等に基づいて、子育て支援に関する情報の収集・提供、子育て支援事業や保育所等の利用に当たっての助言・支援を行う。

【地域連携】⇒地域における、子育て支援のネットワークに基づく支援
利用者が必要とする支援につながるよう、地域の関係機関との連絡調整、連携・協働の体制づくりを行うとともに、地域の子育て資源の育成や、地域で必要な社会資源の開発等を行う。

※令和6年度以降 、「地域子育て相談機関」として子育て家庭等と継続的につながりを持ちながら実施する相談・助言や 、「こども家庭センター」との連携が上記に含まれる。

《職員配置》専任職員（利用者支援専門員）を1名以上配置（基本Ⅲ型を除く）
※子ども・子育て支援に関する事業の一定の実務経験を有する者で、子育て支援員基本研修及び専門研修（地域子育て支援コース）の「利用者支援事業（基本型）」 の研修を修了した者等

特定型（いわゆる「保育コンシェルジュ」）

●主として市町村の窓口で、子育て家庭等から保育サービスに関する相談に応じ、地域における保育所や各種の保育サービスに関する情報提供や利用に向けての支援などを行う
《職員配置》 専任職員（利用者支援専門員）を1名以上配置
※子育て支援員基本研修及び専門研修（地域子育て支援コース）の「利用者支援事業（特定型）」の研修を修了している者が望ましい

こども家庭センター型

●旧子育て世代包括支援センター及び旧市区町村子ども家庭総合支援拠点の一体的な運営を通じて 、妊産婦及び乳幼児の健康の保持及び増進に関する包括的な支援及び全てのこどもと家庭に対して虐待への予防的な対応から個々の家庭に応じた支援まで 、切れ目なく対応する
《職員配置》
主に母子保健等を担当する保健師等、主に児童福祉（虐待対応を含む）の相談等を担当する子ども家庭支援員等、統括支援員 など

実施主体等

●実施主体　市町村（特別区を含む）　●負担割合　国（2／3）、都道府県（1／6）、市町村（1／6）

こども家庭庁「利用者支援事業とは（概要）」を一部改変

6 ファミリー・サポート・センター事業

ファミリー・サポート・センター事業（子育て援助活動支援事業）は、乳幼児や小学生等を育てる労働者や主婦等を会員として、児童の預かり等の援助を受けたい人と援助を行いたい人との相互援助活動に関する連絡、調整等を行う事業です。2023（令和 5）年度は 996 市区町村で実施されています。

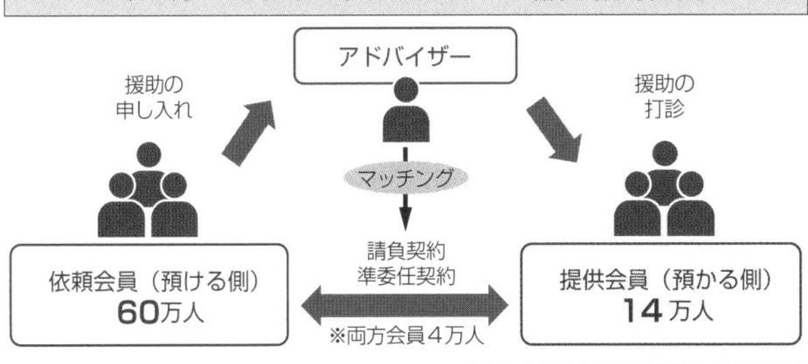

相互援助活動の例
・保育施設や放課後児童クラブ等までの送迎
・保育施設の開始前や終了後又は学校の放課後、冠婚葬祭、買い物等の外出の際の子どもの預かり

こども家庭庁「子育て援助活動支援事業（ファミリー・サポート・センター事業）の概要」

7 小・中学校における支援

①学校をプラットフォームとした子どもやその家庭が抱える問題への対応（学びを応援）

小・中学校では、不登校やいじめ、子どもの貧困などが問題となっています。そこで、すべての子どもが集う場である学校をプラットフォームとして、地方自治体の福祉部局等と連携することにより、子どもやその家庭が抱える課題への早期対応を図ることを目指すようになりました。

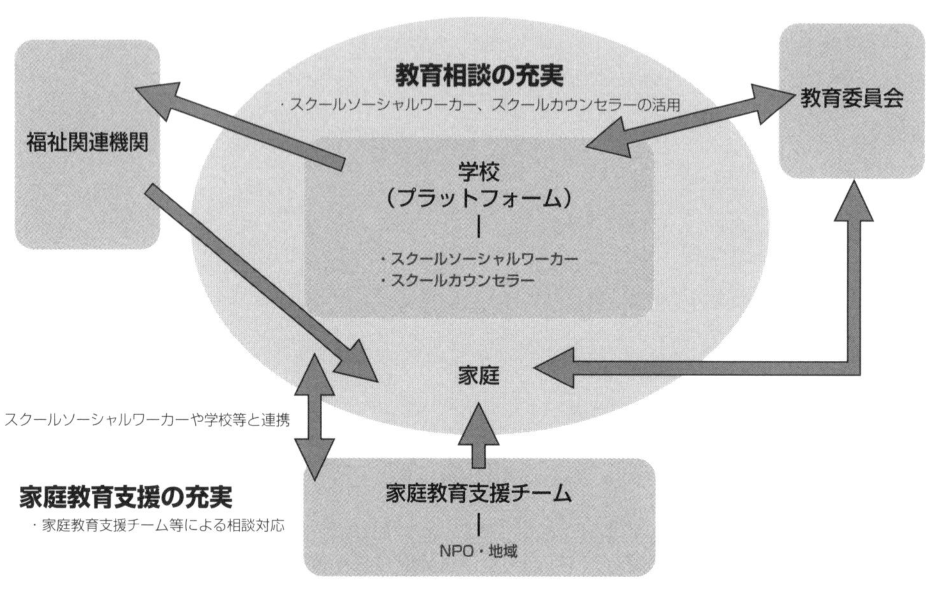

内閣官房「すべての子どもの安心と希望の実現プロジェクト（平成27年12月21日子どもの貧困対策会議決定）」より作成

	スクールカウンセラー等活用事業	スクールソーシャルワーカー活用事業
	令和６年度概算要求・要望額6,291百万円（前年度予算額5,889百万円） 事業開始年度：H7～（委託）、H13～（補助）	令和６年度概算要求・要望額2,659百万円（前年度予算額2,313百万円） 事業開始年度：H20～（委託）、H21～（補助）
補助制度	●負担割合：国１／3、都道府県・政令指定都市・中核市２／３ ●実施主体：都道府県・政令指定都市・中核市 ※実施主体に「中核市」を追加 ●補助対象経費：報酬・期末手当、交通費等	●補助割合：国１／3、都道府県・政令指定都市・中核市2／3 ●実施主体：都道府県・政令指定都市・中核市 ●補助対象経費：報酬・期末手当、交通費等
求められる能力・資格	●児童生徒の心理に関して専門的な知識・経験を有する者 →児童の心理に関する支援に従事（学校法施行規則） ●公認心理師、臨床心理士等	●福祉に関して専門的な知識・経験を有する者 →児童の福祉に関する支援に従事（学校法施行規則） ●社会福祉士、精神保健福祉士等
基盤となる配置	●**全公立小中学校**に対する配置：27,500校〈週４時間〉	●**全中学校区**に対する配置：10,000校〈週3時間〉
重点配置等 課題に応じた配置の充実	●**重点配置校：7,800校**（←7,200校）〈週8時間〉 **いじめ・不登校対策：3,500校**（←2,900校） **虐待対策：2,000校** **貧困対策：2,300校** ※夜間中学への配置を含む ●より課題を抱える学校に対する連携支援体制強化のための**配置時間の充実**：重点配置校のうち2,000校〈週２日８時間〉【新規】	●**重点配置校**：10,000校（←9,000校）〈週6時間〉 **いじめ・不登校対策**：4,000校（←3,000校） **虐待対策：2,500校** **貧困対策：3,500校** ※夜間中学・ヤングケアラー支援への配置を含む ●より課題を抱える学校に対する連携支援体制強化のための**配置時間の充実**：重点配置校のうち2,000校〈週２日８時間〉【新規】
上記以外の質の向上、拠点の機能強化等	●スーパーバイザー：**90人** ●**不登校特例校**（名称変更予定）：**24箇所〈週5日８時間〉**【新規】 ●教育支援センター：**250箇所** ●オンラインによる広域的な支援：**67箇所** ●中学・高校における**自殺予防教育**の実施　※支援対象に高校を追加	●スーパーバイザー：**90人** ●不登校特例校（名称変更予定）：24箇所〈週5日８時間〉【新規】 ●教育支援センター：**250箇所** ●オンラインによる広域的な支援：**67箇所**
ＳＣ配置以外の支援	●SNS等を活用した相談のための相談員の配置 ●「24時間子供SOS電話ダイヤル」の相談員の配置 ●専門性向上のための研修・連絡協議会の開催に係る経費の支援	

文部科学省初等中等教育局「令和６年度 概算要求主要事項」より作成

②不登校児童生徒数の推移

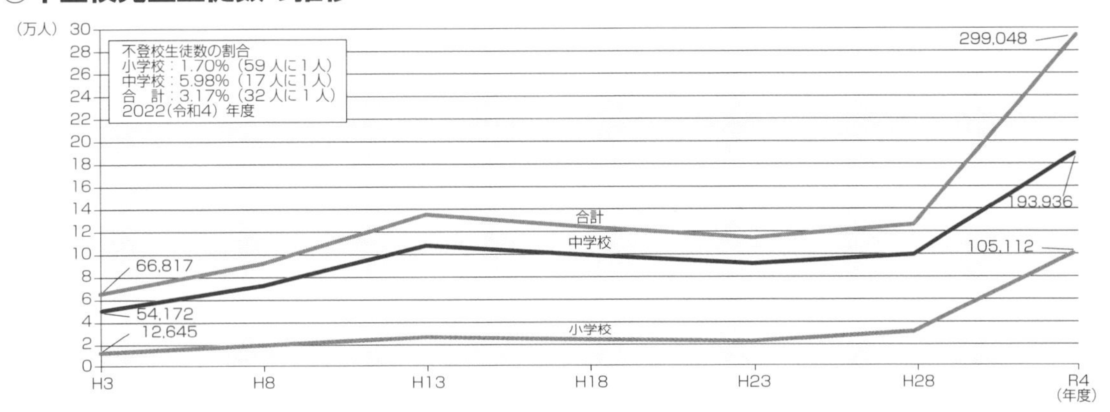

（注1）調査対象：国公私立小・中学校（小学校には義務教育学校前期課程、中学校には義務教育学校後期課程及び中等教育学校前期課程を含む。）
（注2）年度間に連続又は断続して30日以上欠席した児童生徒のうち不登校を理由とする者について調査。不登校とは、何らかの心理的、情緒的、身体的、あるいは社会的要因・背景により、児童生徒が登校しないあるいはしたくともできない状況にあること（ただし、病気や経済的理由によるものを除く。）をいう。

文部科学省「児童生徒の問題行動・不登校等生徒指導上の諸課題に関する調査（令和4年度）」より作成

check! 近年、小・中学校を通じて、不登校児童生徒数が急増している。登校できない理由は様々であり、登校できることが唯一の解決策ではない。子どもに教育を保障することと、子ども自身が感じている高いストレスを踏まえた支援が必要である。

③いじめの認知（発生）件数の推移

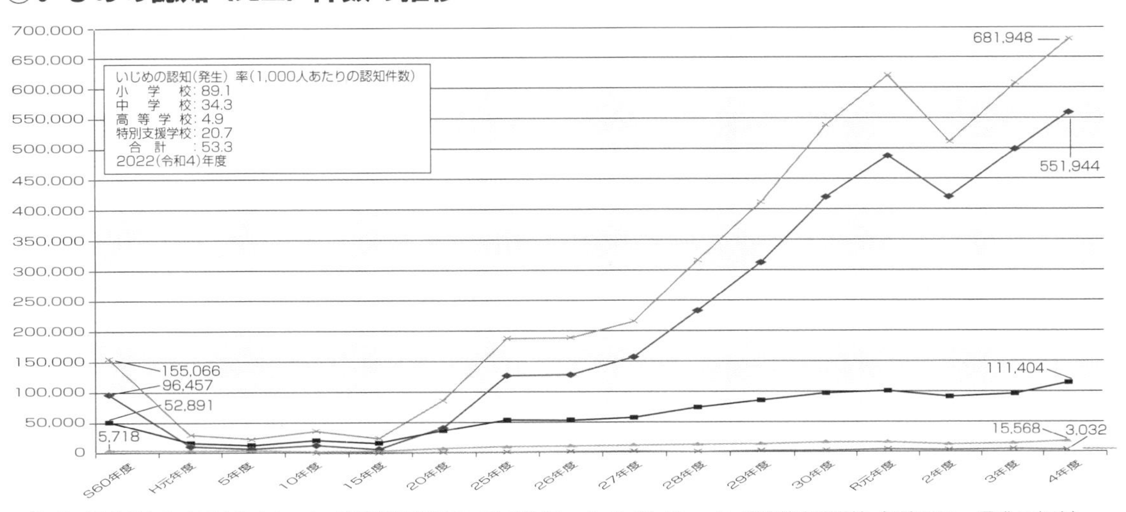

（注1）平成5年度までは公立小・中・高等学校を調査。平成6年度からは特殊教育諸学校、平成18年度からは国私立学校、中等教育学校を含める。
（注2）平成6年度及び平成18年度に調査方法等を改めている。
（注3）平成16年度までは発生件数、平成18年度からは認知件数。
（注4）平成25年度からは高等学校に通信制課程を含める。
（注5）小学校には義務教育学校前期課程、中学校には義務教育学校後期課程及び中等教育学校前期課程、高等学校には中等教育学校後期課程を含む。

文部科学省「児童生徒の問題行動・不登校等生徒指導上の諸課題に関する調査（令和4年度）」より作成

check! いじめに関する統計は、世間の注目を集める事件の発生などによる社会的関心の高まりにより変動するとの指摘がある。グラフの注にあるように調査方法も、近年何度か見直しが行われている。

8 ヤングケアラーに関する支援

「ヤングケアラー」とは、一般に、本来大人が担うと想定されている家事や家族の世話などを日常的に行っている子どもを意味します。2021（令和3）年に行われた実態調査では、世話をしている家族が「いる」と回答したのは、中学2年生で5.7%、全日制高校2年生で4.1%であることが明らかになりました。

子どもが家事や家族の世話を行うこと自体は否定すべきことではありませんが、年齢に見合わない重い責任や負担を担わされると、勉強、遊び、友だちとの交流、様々な体験の時間や機会を奪われることになり、早期に発見し支援につなげることが求められています。2022（令和4）年度には、ヤングケアラーの支援体制を構築するためのモデル事業が始まりました。

また、支援のさらなる強化のため、2024（令和6）年に子ども・若者育成支援推進法が改正されました。

ヤングケアラー支援体制強化事業（ヤングケアラー支援体制構築モデル事業）

事業内容

地方自治体におけるヤングケアラーの支援体制の構築を支援するため、
- 地方自治体に関係機関と民間支援団体等とのパイプ役となる「ヤングケアラー・コーディネーター」を配置し、ヤングケアラーを適切な福祉サービスや就労支援サービス等につなぐ機能を強化（コーディネーターの研修も含む）
- ピアサポート等の悩み相談を行う支援者団体への支援
  ⇒進路やキャリア相談を含めた相談支援体制を構築する場合に、補助基準額に所定額を加算する【拡充】
  ⇒レスパイト・自己発見等に寄与する、当事者向けイベントを開催する場合に、補助基準額に所定額を加算する【拡充】
- ヤングケアラー同士が悩みや経験を共有し合うオンラインサロンの設置運営・支援等に財政支援を行う
- 外国語対応が必要な家庭に対し、病院や行政手続における通訳派遣等を行う自治体への財政支援を行う

事業イメージ

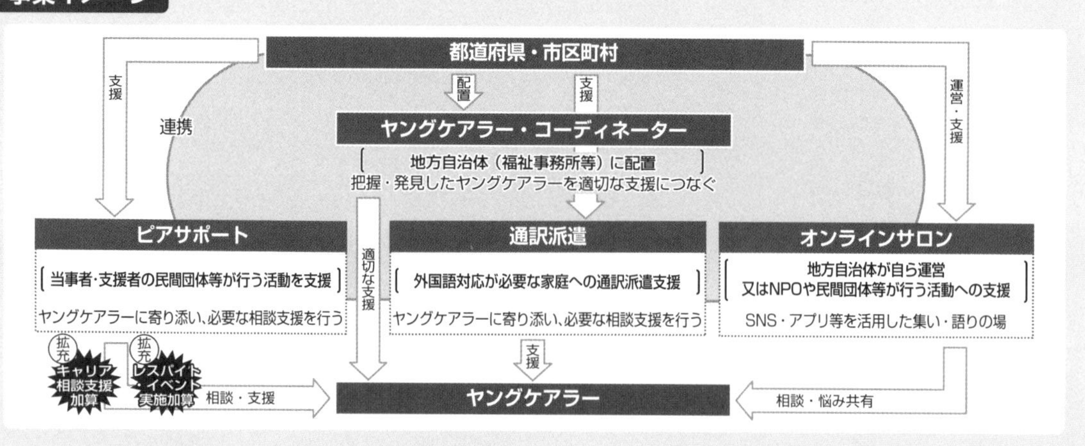

子ども・若者育成支援推進法の改正内容

- **子ども・若者育成支援推進法**において、「**家族の介護その他の日常生活上の世話を過度に行っていると認められる子ども・若者**」として、国・地方公共団体等が各種支援に努めるべき対象に**ヤングケアラーを明記する**。
- また、ヤングケアラー等の同法の支援対象となる子ども・若者に対し、**子ども・若者支援地域協議会と要保護児童対策地域協議会が協働**して効果的に支援を行えるよう、**両協議会調整機関同士が連携を図るよう努める**ものとする。

こども家庭庁資料

9 外国にルーツをもつ子どもへの支援

日本に入国し、日本で働き、日本に住所を定めて暮らす外国籍の人々（子どもを含む）や、外国籍の人と日本人との間に生まれ日本国籍を有する子どもと外国籍の保護者という家族の姿は、自治体の窓口や保育所や学校でも、決して珍しい存在ではなくなっています。そして、今後さらに増えていくことが予想されます。

子ども家庭福祉の現場では、これらの人々、特に子どもと子育てのニーズを理解し、適切な支援を行うことが求められます。

(1)言語面に関する課題と配慮のポイント

子ども

〈 課題 〉
- 来日したばかりの子どもの場合、日本語がほとんど理解できず、保育所等での生活に大きな不安を抱えてしまうこともあります。
- 一方、ある程度日本での生活経験があり、日常会話は問題ないようにみえても、学習するための言語能力の発達が十分でない場合、小学校入学後に学習到達に困難が生じる可能性があります。

〈 配慮のポイント 〉
- 来日したばかりの子どもや、日本語の理解が難しい子どもには、まずは母語で話しかけることで安心感を与えるとよいでしょう。
- 日本語の理解力にあわせて、イラストや写真等を用いてコミュニケーションを取ることも有効です。
- 徐々に日本語に慣れてきたら、日常言語だけでなく、学習言語の育成も意識して支援を行うとよいでしょう。

保護者

〈 課題 〉
- 日本語での説明が十分に伝わっておらず、必要な情報が届いていないこともあります。理解できていなくても「わかった」と言ってしまう方もいます。
- また、言葉の壁により保育所との信頼関係が築けないことで、大きなトラブルに発展してしまうこともあります。
- さらに、文化や習慣の違いから、日本人の間では当たり前とされるような子どもへの関わりが保護者に受け入れられないこともあります。

〈 配慮のポイント 〉
- 日々のやりとりは、わかりやすい日本語や母語を交えたイラスト、翻訳機器等を活用したり、実物を見せて説明することが大切です。
- 文書だけでは伝わりづらい可能性があるため、口頭でも確認するとよいでしょう。
- 面談や行事など日本語による細かい説明を必要とする場合には、通訳など母語と日本語両方がわかる人を介したやりとりが確実です。
- 送迎時等の積極的な声かけにより、話しやすい雰囲気作りをしてみましょう。

(2)文化面に関する課題と配慮のポイント

子ども

〈 課題 〉
- 日本の食事になじみがなく給食が食べられないなど、文化や食習慣の違いからも子どもが保育所等での生活に不安を感じることがあります。
- また、日本文化や生活習慣に親しむ一方で、日常生活の中で母国の文化に触れる機会が少なくなってしまうこともあります。

〈 配慮のポイント 〉
- 食事や生活習慣など、母国との違いが大きく慣れるまでに時間がかかることもあるため、日本のやり方を強制せず、保護者とも相談しながら接するとよいでしょう。
- 自身のルーツである母国文化への愛着や誇りをもてるよう、あいさつや歌など日々の生活の中で外国籍等の子どもの文化に触れる機会を設けることも重要です。

保護者

〈 課題 〉
- 子どもに対し、宗教上の理由で豚肉を食べさせてはいけない、着替えの際は肌を見せてはいけないなど、国や地域によって多様な習慣・決まりがある場合があります。
- 文化や生活習慣等の違いから、外国籍等の保護者が孤立してしまうことも課題となっています。

〈 配慮のポイント 〉
- 各国の習慣や宗教によってタブーとされることや望ましいとされることは異なるとともに、考え方についての個人差もあるため、入園時の面談や、日々のやりとりの中で細かく確認することが重要です。
- 行事等については、宗教上の理由等により参加が難しいこともあるため、イラスト等を用いて趣旨や内容をわかりやすく伝えたうえで、参加の仕方について相談するとよいでしょう。
- 保護者同士でも多文化理解を進めるため、お互いの文化を紹介するイベント等を実施したり、保護者間の交流を促したりすることも有効です。
- 相手の文化を尊重するとともに、日本の保育所等におけるルールや保育に対する考え方などについても保護者にわかりやすく説明することが重要です。

三菱 UFJ リサーチ＆コンサルティング株式会社
「令和元年度子ども・子育て支援推進調査研究事業 保育所等における外国籍等の子ども・保護者への対応に関する調査研究報告書」
令和2年3月、92～93頁

check! 地域で暮らす外国籍の人が増えている。1980 年代には中南米で暮らす日系人が自動車産業などで働くために入国してきた。1990 年代には、興行ビザで入国し日本の飲食業で働くフィリピン人（多くは女性）の増加などがみられた。2000 年以降は、戦前・戦中に来日した中国籍や韓国籍の人とその子ども（特別永住者）に加えて、これらの国を含めた東アジア、東南アジア、西アジア等の人々の入国が増えている。近年では、さらにたくさんの国の人々が日本で働き、日本で暮らすようになっている。

社会的養護を必要とする子どもと家庭への施策

何らかの事情により家庭での養育が困難または受けられなくなった子ども、生活環境・親子関係、情緒的な問題、非行の問題のある子どものための福祉として、市区町村子ども家庭総合支援拠点等による相談支援、養育支援訪問事業による家庭での専門的相談支援と育児・家事援助及び児童相談所等による相談援助、そして里親委託や児童福祉施設への入所・通所措置などが行われています。

1 社会的養護の現状

①社会的養護の現状（施設数、里親数、児童数等）

保護者のない児童、被虐待児などの家庭環境上養護を必要とする児童などに対し、公的な責任として、社会的に養護を行います。対象児童は、約４万2,000人です。

里親 家庭における養育を里親に委託		登録里親数	委託里親数	委託児童数
		16,817 世帯	4,940 世帯	6,217 人
区分（里親は重複登録有り）	養育里親	14,155 世帯	3,967 世帯	4,848 人
	専門里親	732 世帯	166 世帯	217 人
	養子縁組里親	6,989 世帯	301 世帯	333 人
	親族里親	626 世帯	578 世帯	819 人

ファミリーホーム 養育者の住居において家庭養護を行う（定員5～6名）	
ホーム数	467 か所
委託児童数	1,751 人

施設	乳児院	児童養護施設	児童心理治療施設	児童自立支援施設	母子生活支援施設	自立援助ホーム
対象児童	乳児（特に必要な場合は、幼児を含む）	保護者のない児童、虐待されている児童その他環境上養護を要する児童（特に必要な場合は、乳児を含む）	家庭環境、学校における交友関係その他の環境上の理由により社会生活への適応が困難となった児童	不良行為をなし、又はなすおそれのある児童及び家庭環境その他の環境上の理由により生活指導等を要する児童	配偶者のない女子又はこれに準ずる事情にある女子及びその者の監護すべき児童	義務教育を終了した児童であって、児童養護施設等を退所した児童等
施設数	146か所	600か所	53か所	58か所	213か所	317か所
定員	3,812人	29,075人	2,011人	3,403人	4,437世帯	2,032人
現員	2,306人	22,578人	1,300人	1,103人	3,152世帯 児童5,279人	1,061人
職員総数	5,519人	21,139人	1,512人	1,847人	2,070人	1,221人

小規模グループケア	2,382 か所
地域小規模児童養護施設	606 か所

（出典）
※里親数、ＦＨホーム数、委託児童数、乳児院・児童養護施設・児童心理治療施設・母子生活支援施設の施設数・定員・現員は福祉行政報告例（令和5年３月末現在）
※児童自立支援施設の施設数・定員・現員、自立援助ホームの施設数・定員・現員・職員総数、小規模グループケア、地域小規模児童養護施設のか所数は家庭福祉課調べ（令和５年10月１日現在）
※職員総数（自立援助ホームを除く）は、社会福祉施設等調査報告（令和４年10月１日現在）
※児童自立支援施設は、国立２施設を含む

こども家庭庁「社会的養育の推進に向けて（令和6年 10月）」

②要保護児童数の推移

過去 10 年で、里親等委託児童数は約 1.5 倍、児童養護施設、乳児院の入所児童数はともに約 2割減となっています。

■里親·ファミリーホームへの委託児童数

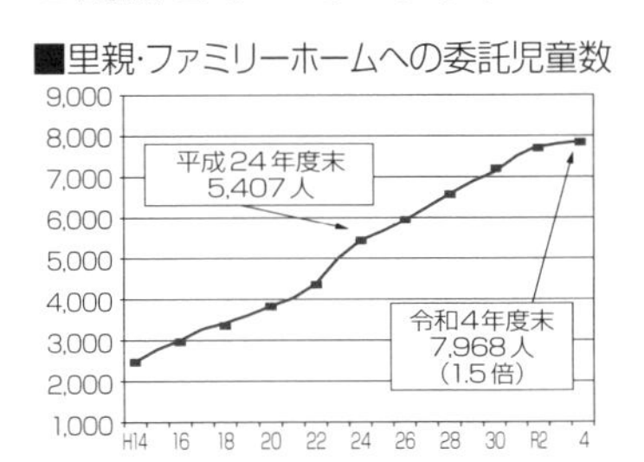

■児童養護施設の入所児童数

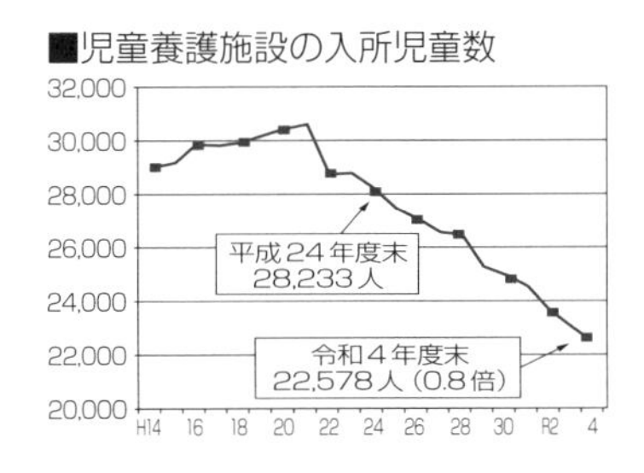

■乳児院の入所児童数

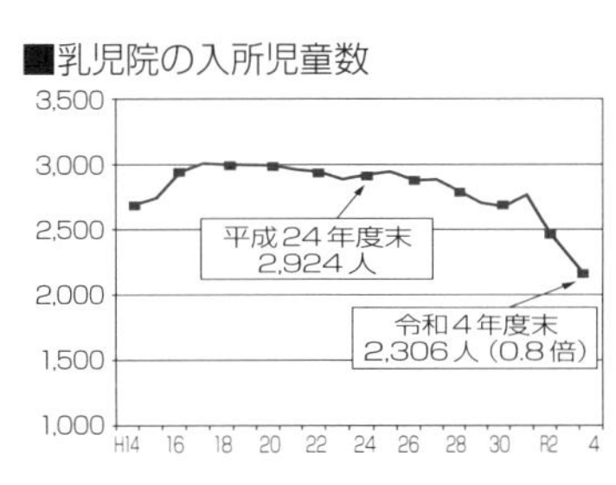

■児童養護施設の設置数

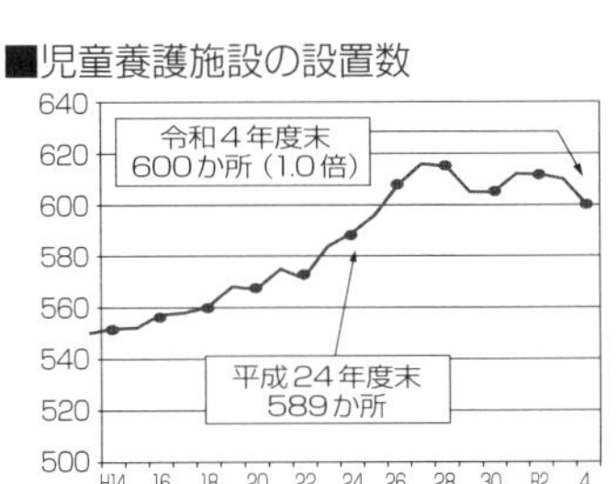

■乳児院の設置数

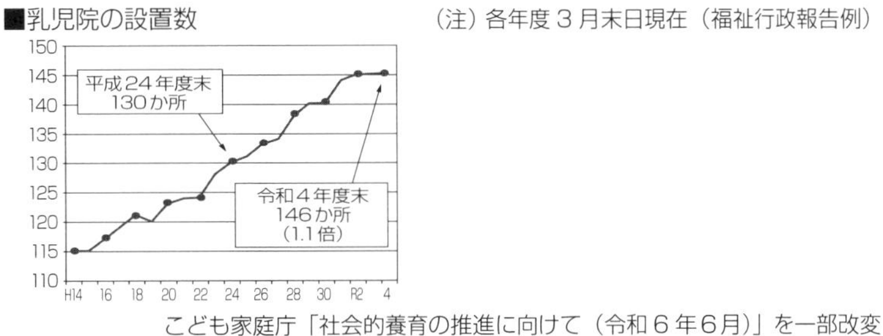

(注)各年度3月末日現在(福祉行政報告例)

こども家庭庁「社会的養育の推進に向けて(令和6年6月)」を一部改変

③委託・入所理由別児童数(令和4年度中新規措置児童)

(単位:人、%)

区分	里親		乳児院		児童養護施設	
	児童数	割合	児童数	割合	児童数	割合
父母の死亡	88	5.2%	9	0.6%	57	1.5%
父母の行方不明	36	2.1%	13	0.9%	23	0.6%
父母の離婚	12	0.7%	24	1.7%	42	1.1%
父母の不和	13	0.8%	17	1.2%	36	0.9%
父母の拘禁	51	3.0%	46	3.2%	89	2.3%
父母の入院	54	3.2%	33	2.3%	100	2.5%
父母の就労	20	1.2%	31	2.1%	34	0.9%
父母の精神障害	173	10.2%	262	18.1%	322	8.2%
父母の放任怠惰	207	12.2%	172	11.9%	480	12.2%
父母の虐待	417	24.5%	369	25.5%	1,789	45.6%
棄児	3	0.2%	7	0.5%	6	0.2%
父母の養育拒否	218	12.8%	99	6.8%	152	3.9%
破産等の経済的理由	87	5.1%	100	6.9%	82	2.1%
児童の問題による監護困難	61	3.6%	–	–	280	7.1%
その他	259	15.2%	266	18.4%	431	11.0%
計	1,699	100.0%	1,448	100.0%	3,923	100.0%

こども家庭庁「社会的養育の推進に向けて(令和6年10月)」

2 家庭的養護の推進と都道府県社会的養育推進計画

①家庭的養護の推進

国は、社会的養護が必要な児童を、可能な限り家庭的な環境において安定した人間関係のもとで育てることができるよう、里親等家庭での養育や施設の小規模化・地域分散化を推進するとしています。

$$\text{里親等委託率} = \frac{\text{里親＋ファミリーホーム}}{\text{児童養護施設＋乳児院＋里親＋ファミリーホーム}}$$

令和5年3月末　24.3%

こども家庭庁「社会的養育の推進に向けて（令和6年10月）」

②都道府県社会的養育推進計画

国は、2018（平成30）年、各都道府県に対して都道府県社会的養育推進計画の策定を求め、これを受けて各都道府県は、2020（令和2）年から取り組む計画を策定しました。

国は、その後、2022（令和4）年に児童福祉法が改正されたことを踏まえ、子どもの権利擁護を図るとともに、資源の計画的な整備を進めることを念頭に、既存の計画を見直し、2025（令和7）～2029（令和11）年の5年間を1期とした新たな計画を策定することを都道府県に求めました。計画に記載するべき事項として、13の項目が挙げられています。

(1)都道府県における社会的養育の体制整備の基本的考え方及び全体像
(2)当事者であるこどもの権利擁護の取組（意見聴取・意見表明等支援等）
(3)市区町村のこども家庭支援体制の構築等に向けた都道府県の取組
(4)支援を必要とする妊産婦等の支援に向けた取組
(5)各年度における代替養育を必要とするこども数の見込み
(6)一時保護改革に向けた取組
(7)代替養育を必要とするこどものパーマネンシー保障に向けた取組
(8)里親・ファミリーホームへの委託の推進に向けた取組
(9)施設の小規模かつ地域分散化、高機能化及び多機能化・機能転換に向けた取組
(10)社会的養護自立支援の推進に向けた取組
(11)児童相談所の強化等に向けた取組
(12)障害児入所施設における支援
(13)次期計画策定上の留意事項

3 児童家庭支援センター

児童家庭支援センターは、児童福祉施設が在宅支援の機能をもつかたちで創設されたため、当初は児童福祉施設に附置されるものとされましたが、この要件は廃止され、ＮＰＯ法人等でも単独設置が可能となりました。横浜市のように、区ごとに設置し独自にショートステイ機能をもたせるといった取り組みも見られます。

児童家庭支援センターの概要

1. 目的

児童家庭支援センターは、地域の児童の福祉に関する各般の問題につき、児童に関する家庭その他からの相談のうち、専門的な知識及び技術を必要とするものに応じ、必要な助言を行うとともに、市町村の求めに応じ、技術的助言その他必要な援助を行うほか、児童相談所からの委託を受けて保護者等への指導を行い、あわせて児童相談所、児童福祉施設等との連絡調整等を総合的に行うことを目的とする施設（児童福祉法第 44 条の２第１項）

※平成９年の児童福祉法改正で制度化（平成 10 年４月１日施行）

2. 設置・運営主体

都道府県、指定都市、児童相談所設置市、社会福祉法人等

3. 事業内容

●虐待や非行等、子どもの福祉に関する問題につき、子ども、ひとり親家庭その他からの相談に応じ、必要な助言を行う。

●児童相談所からの委託を受けて、施設入所までは要しないが要保護性があり、継続的な指導が必要な子ども及びその家庭についての指導を行う。

●子どもや家庭に対する支援を迅速かつ的確に行うため、児童相談所、児童福祉施設、学校等関係機関との連絡調整を行う。

4. 職員配置について

児童家庭支援センターの運営管理責任者を定めるとともに、次の職種の職員を配置するものとする。

●相談・支援を担当する職員（２名）

●心理療法等を担当する職員（１名）

5. 施設数

	H27	H28	H29	H30	R元	R2	R3	R4
箇所数	103	108	114	121	130	144	154	164

※社会福祉施設等調査報告（10 月１日現在）

児童家庭支援センターの都道府県別設置状況（令和４年 10 月１日現在）

都道府県名	設置か所数	都道府県名	設置か所数	都道府県名	設置か所数
北海道	13	石川県	3	岡山県	3
青森県	1	福井県	4	広島県	3
岩手県	1	山梨県	1	山口県	5
宮城県	1	長野県	6	徳島県	1
秋田県	0	岐阜県	5	香川県	1
山形県	2	静岡県	4	愛媛県	1
福島県	3	愛知県	1	高知県	5
茨城県	2	三重県	6	福岡県	5
栃木県	1	滋賀県	1	佐賀県	1
群馬県	2	京都府	2	長崎県	2
埼玉県	3	大阪府	3	熊本県	8
千葉県	15	兵庫県	10	大分県	4
東京都	0	奈良県	2	宮崎県	1
神奈川県	24	和歌山県	1	鹿児島県	2
新潟県	0	鳥取県	3	沖縄県	2
富山県	0	島根県	0		

合計　164 か所

※社会福祉施設等調査

こども家庭庁「社会的養育の推進に向けて（令和６年 10 月）」

4 里親制度

①里親制度の概要

里親制度の推進を図るため、2008（平成 20）年の児童福祉法改正で、「養育里親」と「養子縁組を希望する里親」などを法律上区分するとともに、2009（平成 21）年度から、養育里親・専門里親の里親手当を引き上げ、研修等を充実させています。2017（平成 29）年４月１日からは養子縁組を希望する里親の研修も義務化されています。

種類	養育里親		養子縁組里親	親族里親
		専門里親		
対象児童	要保護児童	次に挙げる要保護児童のうち、都道府県知事がその養育に関し特に支援が必要と認めたもの ①児童虐待等の行為により心身に有害な影響を受けた児童 ②非行等の問題を有する児童 ③身体障害、知的障害又は精神障害がある児童	要保護児童	次の要件に該当する要保護児童 ①当該親族里親に扶養義務のある児童 ②児童の両親その他当該児童を現に監護する者が死亡、行方不明、拘禁、入院等の状態となったことにより、これらの者により、養育が期待できないこと
登録里親数	14,155世帯	732世帯	6,989世帯	626世帯
委託里親数	3,967世帯	166世帯	301世帯	578世帯
委託児童数	4,848人	217人	333人	819人

※里親数・児童数は福祉行政報告例（令和5年3月末現在）

里親に支給される手当等

※令和6年度単価

- 里親手当（月額）
  - 養育里親　90,000円（2人目以降：90,000円）
  - 専門里親　141,000円（2人目：141,000円）
  - ※令和2年度から2人目以降の手当額を増額
- 一般生活費（食費、被服費等）（1人当たり月額）
  - 乳児　64,120円
  - 乳児以外　55,530円
- その他（幼稚園費、教育費、入進学支度金、就職支度費、大学進学等支度費、医療費、通院費等）

こども家庭庁「社会的養育の推進に向けて（令和6年10月）」より作成

②登録里親数等の推移（各年度末現在）

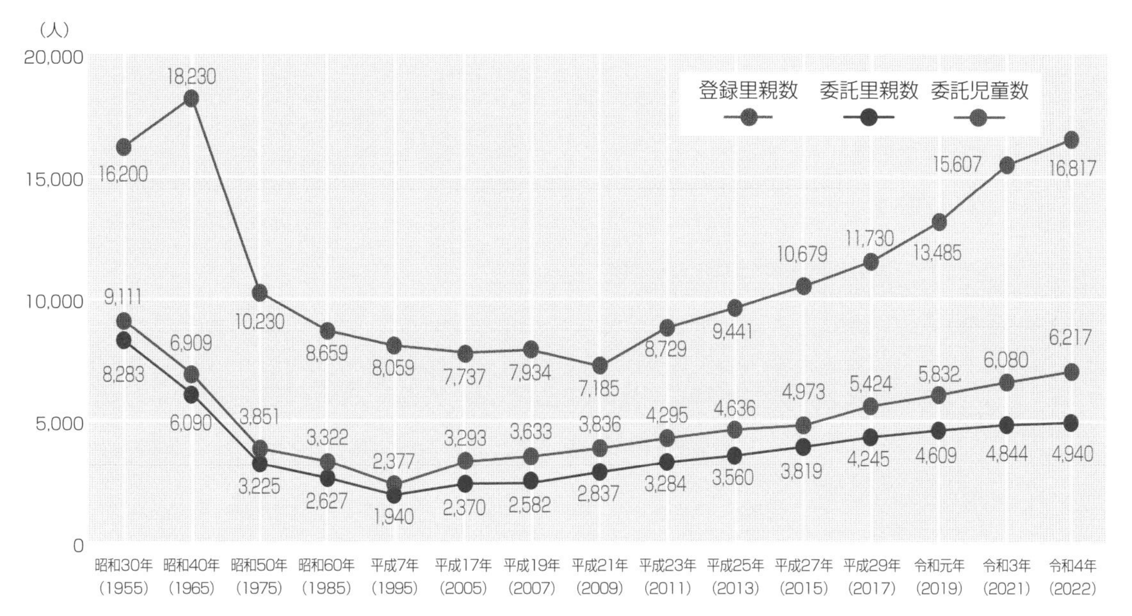

厚生労働省「福祉行政報告例」

check! 国の施策の方向性として、里親委託・小規模住居型児童養育事業（ファミリーホーム）を推進することとされ、施設養護に対して里親委託を優先して検討することが示されている。これを反映して登録里親数（里親として登録している里親数）は近年増えているが、委託里親数（実際に子どもを委託されている里親数）及び委託児童数の増加率は必ずしも高くない。

③里親委託児童の年齢別人数・構成比（年度末現在）

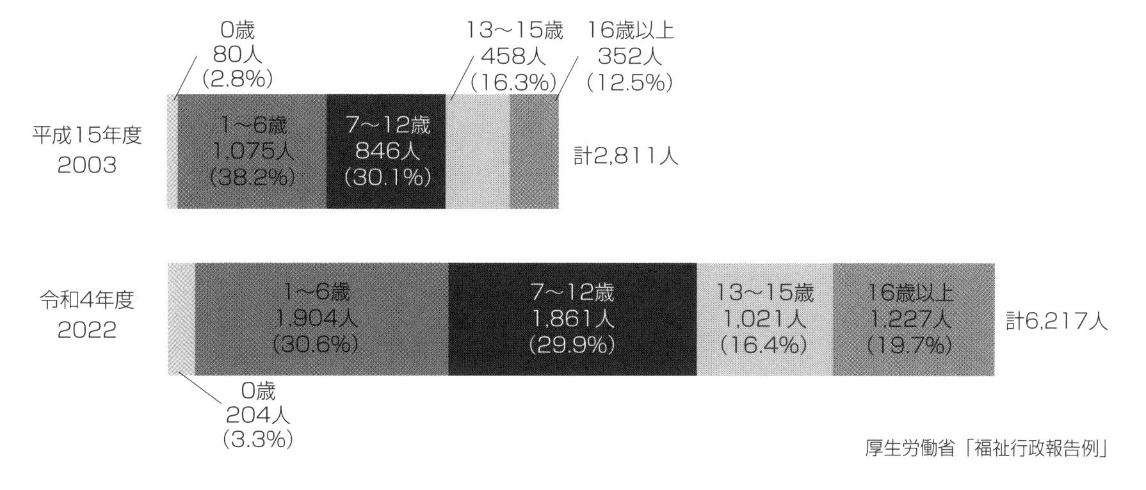

厚生労働省「福祉行政報告例」

④里親支援の充実

里親に委託される子どもは、保護者との分離や虐待を受けた経験などにより、心の傷を抱えているなど、様々な形で育てづらさがあることが多いといわれています。また、里親には社会的養護の担い手であることや、中途からの養育であることの理解も求められます。そのため、里親には、研修、相談、里親同士の相互交流など、里親が養育に悩みを抱えたときに孤立化することを防ぐ支援が重要です。

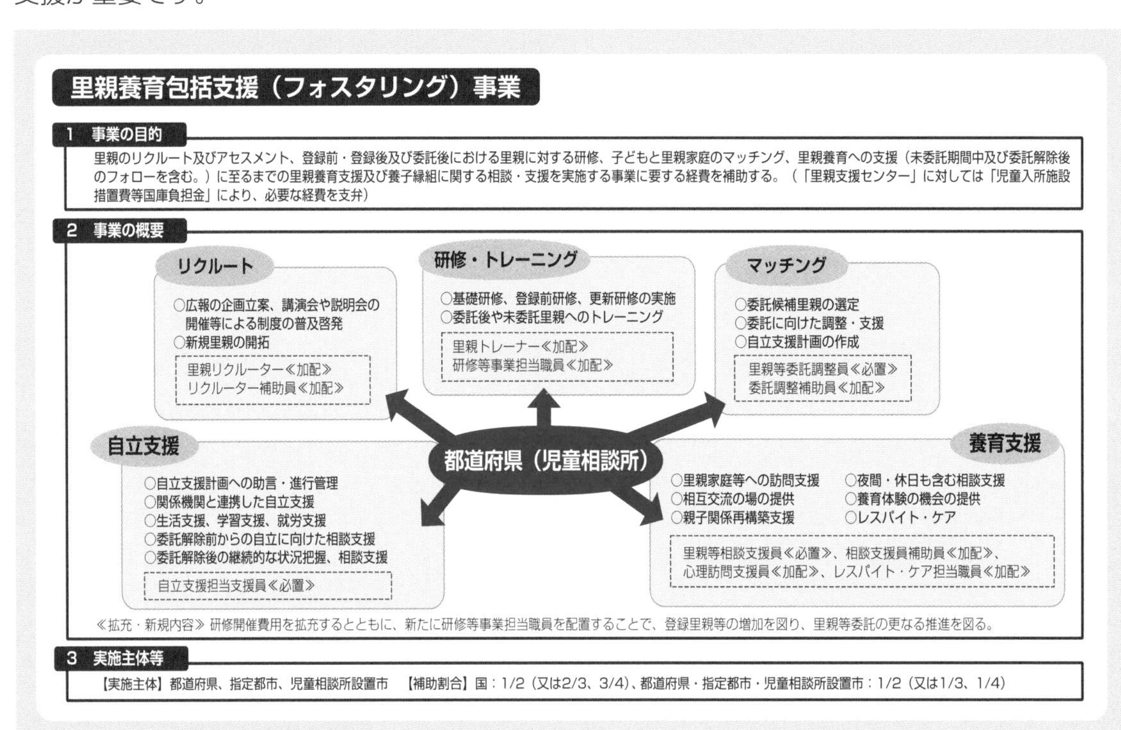

里親支援センターの概要

1. 目的

里親支援センターは、里親支援事業を行うほか、里親及び小規模住居型児童養育事業（以下「ファミリーホーム」という。）に従事する者（以下「里親等」という。）、その養育される児童（以下「里子等」という。）並びに里親になろうとする者について相談その他の援助を行い、家庭養育を推進するとともに、里子等が心身ともに健やかに育成されるよう、その最善の利益を実現することを目的とする施設。
※令和４年の児童福祉法改正で制度化 （令和６年４月１日施行）

2. 設置・運営主体

都道府県、指定都市、児童相談所設置市、社会福祉法人等

3. 設備について

事務室、里親等及び里子等並びに里親になろうとする者が訪問できる相談室等、その他、事業を実施するために必要な設備

4. 職員配置について

主な職種	設備運営基準上の人員配置基準	措置費上の配置職員（加算職員を含む）
センター長	必置	１人
里親制度等普及促進担当者（里親リクルーター）	必置	１人
里親等支援員	必置	登録里親家庭が 61 世帯から 20 世帯増える毎に、１人ずつ加配
里親研修等担当者（里親トレーナー）	必置	１人

こども家庭庁「社会的養育の推進に向けて（令和６年 10 月）」より作成

check! 2022 年の児童福祉法改正により、2024 年４月１日から、里親支援を行う「里親支援センター」が新たな児童福祉施設として運用されている。

5 養子縁組

児童福祉法に基づく里親制度では、里親に養育される子どもと里親との間には、法的な親子関係はありません。これに対して養親と養子との間で民法上の親子関係を結ぶのが養子縁組です。養護ニーズのある子どもとの養子縁組は家庭養護の 1 つの形態と位置づけられ、子どもの福祉のために養子縁組を推進する方向にあります。

養子縁組には「普通養子縁組」と「特別養子縁組」があります。従来は児童相談所が行う里親委託を経て特別養子縁組に至る場合が多かったのですが、近年は、都道府県の許可を受けた民間機関による「あっせん」がそれを上まわるようになってきています。

■普通養子縁組と特別養子縁組の比較

	普通養子縁組	特別養子縁組
養子の要件	尊属（父母、祖父母など先行の世代の者）または年長の者は養子とすることができない。	父母による監護が著しく困難または不適当であること等の場合で、子の利益に特に必要があること。 申し立て時点で 15 歳未満（ただし、15 歳に達する前から養親となる者が引き続き養育している場合で、やむを得ない事由により 15 歳までに申し立てができないときには 15 歳以上でも可）。 ※改正法の施行により、下線部のように変更された。
養親の要件	成年に達した者。	配偶者がある者（夫婦共同縁組。夫婦のどちらか一方だけではなることができない。ただし、養子となる子どもがどちらかの嫡出子である場合はこの限りでない）。 夫婦のどちらかが 25 歳以上で、もう一方が 20 歳以上であること。
縁組の成立	養親となる者と養子となる者の同意。 養子となる者が未成年の場合は、家庭裁判所の許可が必要。	養親となる者からの請求により家庭裁判所が決定。 養子となる者の実父母の同意が必要（ただし、実父母が意思を表示することができない、虐待などの養子となる者の利益を著しく害する事由がある場合は不要）。
実親との親族関係	終了しない。	実方の父母及びその血族（父母、きょうだい、祖父母等）との親族関係が終了する。
試験養育期間	なし。	成立のためには、養親となる者が、養子となる者を 6 か月以上の期間、監護した状況が考慮されなければならない。
戸籍上の表記	実親と養親の両方の名前が連記され、養子の続柄は「養子（養女）」と記載。身分事項欄に「養子縁組」と記載。	養親の名前のみ記載され、養子の続柄は、「長男（長女）」等と記載。 身分事項欄に「民法第 817 条の 2」と記載。
離縁	当事者同士（養子が 15 歳未満の場合は法定代理人）の協議のうえの合意で離縁できる。	離縁は原則できない。養子の利益のため特に必要があると認めるとき（養親による虐待など）は、家庭裁判所は、養子、実父母、検察官の請求により、特別養子縁組の当事者を離縁させることができる。離縁の日から実父母及びその血族との親族関係が回復する。

6 社会的養護における子どものアドボケイト

2022（令和4）年児童福祉法等改正法では、社会的養護に係る子どもの権利擁護に係る様々な取り組み（児童相談所や都道府県等における意見聴取等措置、意見表明等支援事業、子どもの権利擁護に係る環境整備）が規定されました。取り組みを進めるために、その意義や具体的な準備事項、実施内容、実施における留意点等を盛り込んだ「権利擁護スタートアップマニュアル」が2023（令和5）年12月に策定されました。

こどもの権利擁護スタートアップマニュアル概要

Ⅰ　こどもの意見聴取等措置

■意見聴取等措置が必要となる場面

●以下の場合は、意見聴取等措置をあらかじめ実施（①は法律上規定。②はこの他実施すべき又は実施が望ましい場面）

①一時保護、在宅指導等措置、施設入所、里親等委託、指定発達支援医療機関への委託の決定・停止・解除・変更・期間の更新

②自立支援計画の策定・見直し、自立援助ホームや母子生活支援施設への入居・入所、面会通信制限 等

●緊急一時保護の必要がある場合などあらかじめ意見聴取等措置をとるいとまがないときは、事後速やかに意見聴取等措置を実施

■意見聴取等を行う者

●原則、児童相談所職員が実施。各児童相談所の体制や状況等も踏まえつつ、こどもの意見・意向を適切に把握できる方法（※）を検討

※担当の児童福祉司又は児童心理司（必要に応じて双方）が実施／担当児童福祉司等とは別の職員が実施

●意見表明等支援事業の活用により、こどもの求めに応じて意見表明等支援員が支援を行うことも有用。

意見聴取等措置の流れ

Step1　こどもへの説明

Step2　こどもからの意見聴取

Step3　記録作成

Step4　聴取した意見・意向の考慮、反映の検討

Step5　こどもへのフィードバック

■こどもへの説明・意見聴取

●以下の事項（※）をこどもに事前に丁寧に説明。権利ノートや図、イラスト等を用いると効果的。

※児童相談所の役割、こどもが置かれている現在の状況、親や家族等の現在の状況、一時保護ガイドライン／児童相談所運営指針で定められている内容（一時保護の理由、目的等／入所等措置をとる理由等）、聴取した意見の取扱い、権利救済や意見表明等支援事業の仕組み・利用方法

●援助方針の検討の可能な限り早期の段階で、以下の事項（※）について意見聴取を実施。複数回にわたり実施する等の対応が望ましい。

※措置等の内容についての意見・意向とその理由、今後に対する希望、現在の状況についてどう考えているか、措置等に関する希望、不安等

●言葉による意見聴取が困難な場合も、絵カード等のコミュニケーションツールを活用し、こどもが意見・意向を表明できるよう最大限配慮。それでも意見表出が困難なこどもには、こどもの生活スタイルを理解して意思を推察するなど非指示的アドボカシーを実施

■記録の作成・管理

児童記録票に、日時場所、説明方法、説明内容、聴取内容、こどもの反応・様子、所見を記載

■聴取した意見・意向の考慮、反映の検討

●聴取した意見・意向は援助方針会議等の場で共有し、十分勘案した上でこどもの最善の利益を考慮して組織として支援の方法や内容等を検討。可能な限りこどもの意見・意向を尊重できるよう、十分な検討・議論を行う

■こどもへのフィードバック

●こども本人に速やかに決定の内容と理由を丁寧かつ分かりやすく説明しフィードバック。特にこどもの意見・意向と反する意思決定を行う場合は説明を尽くす。

Ⅱ　意見表明等支援事業

■意見表明等支援を実施する場面

●措置等の決定、自立支援計画策定、里親・施設や一時保護所における日常生活の場面、こどもが児童福祉審議会等へ意見申立てを行う場面

■意見表明等支援事業の実施に向けた準備・留意事項

（実践環境の整備）

●こども／関係者（児童相談所職員や里親・施設職員、一時保護所職員等）への説明、多様なアクセス手段の確保（電話、はがき、SNS 等。障害児の場合は手話通訳等の合理的配慮）、事務局の体制確保（都道府県等の主管課／可能であれば適当な外部団体に委託）

（意見表明等支援員の確保）

●配置形式・体制（独立性の担保）：児童相談所等とは別の機関が担うことを基本。適切な団体等に都道府県等が委託／補助。個人の場合は委嘱

●資質の醸成・担保：都道府県等が適当と認める養成研修の修了が必要。多様な属性・強みを持つ支援員の確保。SV を受けられる体制整備。

（意見表明等支援事業の実施方法、留意事項）

●訪問先の決定（一時保護所、里親家庭、児童養護施設等の入所施設）、対象となるこども（年齢等で一律に区切るのは不適当）、訪問方法（定期又は要請に応じた訪問）、こどもの意見表明を促す工夫、こどもの年齢・発達の状況に応じた配慮、意見表明への対応とこどもへのフィードバック（意見表明を受けた関係機関における十分な検討、こどもへの丁寧でわかりやすい説明が確実に行われる体制の構築）、守秘義務・個人情報の管理 等

Ⅲ　こどもの権利擁護に係る環境整備

■個別ケースに関するこどもの権利擁護の仕組みの構築（児童福祉審議会の活用）

基本的な仕組み：こども（又はこどもに関わる関係機関）が児童福祉審議会に意見を申し立て、こどもからの意見聴取や必要な調査を行った上で児童福祉審議会において審議し、必要な場合には児童相談所等の関係行政機関に対して意見を具申

※意見具申の内容はこども本人にも伝え、児童福祉審議会では一定の期間を設けて児童相談所や施設等から対応結果の報告を求め、その結果をこどもに伝えるといったフォローアップも行う

準備・留意事項：児童福祉審議会の独立性、迅速性、専門性、こどもからのアクセシビリティの確保等の観点から必要な体制を確保

●権利擁護に関する専門部会の設置・迅速な開催、委員の選定（児童相談所や施設関係者等は望ましくない等）、事務局の設置（児童相談所職員が担当することは避ける）、多様なアクセス手段の確保、関係機関等（児童相談所、施設、一時保護所、里親等）への説明・周知

（児童福祉審議会以外の機関による権利擁護）

●条例に基づいて児童福祉審議会とは別のこどもの権利擁護機関を設置し、権利救済の申し立てを受けて調査・審議、勧告等を行う自治体の取組例を紹介

■意見表明等支援事業の実施・活用促進等

■こどもに対する権利や権利擁護の仕組みの周知啓発、関係者・関係機関への周知啓発や理解醸成

■こどもの権利擁護に係る環境整備に関するその他の取組（意見箱（実効性ある運用）、こども会議等）

こども家庭庁

check! 権利擁護は、独占されるものではない。①セルフアドボカシー（自ら）、②ピアアドボカシー（同じ立場の人）、③インフォーマルアドボカシー（親やきょうだい、先生など）、④フォーマルアドボカシー（児童相談所、ソーシャルワーカー等）、⑤独立アドボカシー（意見表明等支援員はこれにあたる）などの多様なあり方があり、それぞれの役割・関係を前提として構築する必要がある。

6 児童虐待防止のための施策

1 児童虐待への対応

子どもの健やかな成長に影響を及ぼす児童虐待の防止は、社会全体で取り組むべき重要な課題です。

2024（令和6）年4月からは、2022（令和4）年6月に成立した「児童福祉法等の一部を改正する法律」（令和4年法律第66号）で目指された児童虐待の予防やこれからの回復を念頭においた子育て世帯に対する包括的な支援のための体制強化が、本格的に開始されました。これに基づき、市町村では、従来の子ども家庭総合支援拠点と子育て世代包括支援センターを一体化し、こども家庭センターが設置されることになりました。

①児童虐待の定義

どのような行為等が児童虐待にあたるかは、「児童虐待の防止等に関する法律」第2条で定義されており、以下の4つに分けられます。

身体的虐待	児童の身体に外傷が生じ、又は生じるおそれのある暴行を加えること
性的虐待	児童にわいせつな行為をすること又は児童をしてわいせつな行為をさせること
ネグレクト	児童の心身の正常な発達を妨げるような著しい減食又は長時間の放置、保護者以外の同居人による身体的虐待、性的虐待、心理的虐待の放置その他の保護者としての監護を著しく怠ること
心理的虐待	児童に対する著しい暴言又は著しく拒絶的な対応、児童が同居する家庭における配偶者に対する暴力（配偶者（婚姻の届出をしていないが、事実上婚姻関係と同様の事情にある者を含む。）の身体に対する不法な攻撃であって生命又は身体に危害を及ぼすもの及びこれに準ずる心身に有害な影響を及ぼす言動をいう。）その他の児童に著しい心理的外傷を与える言動を行うこと

②要保護児童対策地域協議会

虐待を受けている子どもや支援を必要としている家庭を早期に発見し、適切な保護や支援を図るためには、関係機関の間で情報や考え方を共有し、適切な連携の下で対応していくことが重要です。関係機関により子どもや保護者に関する情報の交換や支援内容の協議を行う場として、要保護児童対策地域協議会（こどもを守る地域ネットワーク）が規定されており（児童福祉法第25条の2）、地方自治体はその設置に努めるものとされています。

要保護児童対策地域協議会の概要

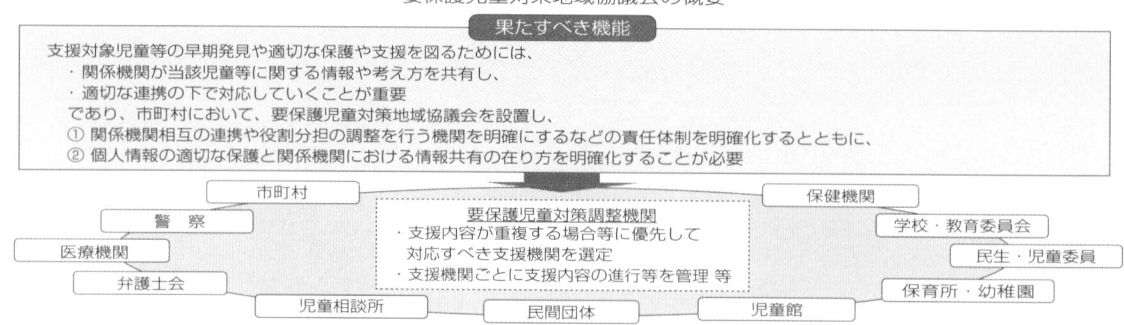

こども家庭庁資料

③児童相談所における児童虐待相談対応件数と、市町村における児童虐待相談対応件数の推移

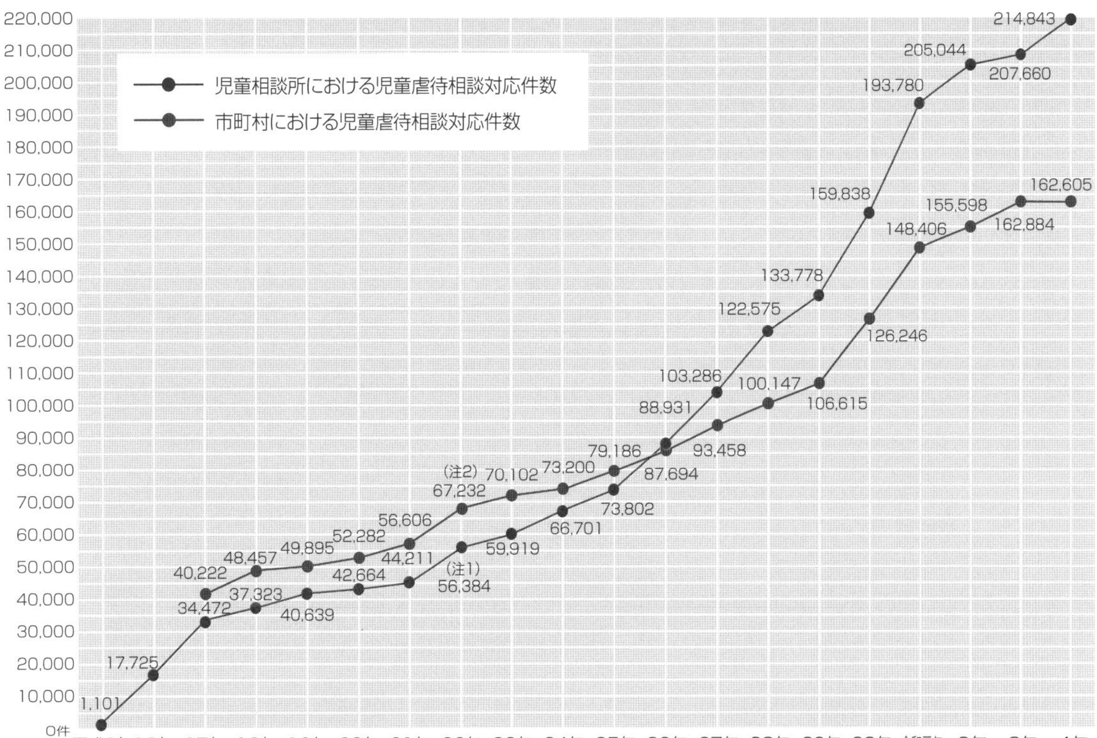

(注 1) 東日本大震災の影響により、福島県を除いて集計した数値。
(注 2) 東日本大震災の影響により、岩手県、宮城県(仙台市を除く)の一部及び福島県を除いて集計した数値。

厚生労働省「福祉行政報告例」

check! 近年の児童相談所における児童虐待相談対応件数の増加は、警察からの DV 目撃事案等の通告が急増したことや、2015(平成 27)年7月より児童相談所全国共通ダイヤル「189」の運用が始まったことが主な要因である。

④児童相談所及び一時保護所の設置状況、児童福祉司及び児童心理司の配置状況

	2012 (平成24)年	2013 (平成25)年	2014 (平成26)年	2015 (平成27)年	2016 (平成28)年	2017 (平成29)年	2018 (平成30)年	2019 (令和元)年	2020 (令和2)年	2021 (令和3)年	2022 (令和4)年	2023 (令和5)年
児童相談所設置数(か所)	207	207	207	208	209	210	210	215	220	225	228	232
一時保護所設置数(か所)	129	129	134	135	136	136	136	139	144	145	149	152
児童福祉司(人)	2,670	2,771	2,829	2,934	3,030	3,115	3,252	3,635	4,234	4,844	5,783	5,863
児童心理司(人)	1,193	1,237	1,261	1,293	1,329	1,379	1,447	1,570	1,800	2,071	2,347	2,623

厚生労働省資料、こども家庭庁資料より作成

check! 児童虐待に適切に対応するため、児童相談所の設置促進、児童福祉司や児童心理司の増員、医師・保健師・弁護士の配置などが進められている。一方、経験豊富な職員が不足しているのみならず、職員の確保自体や育成の困難さが指摘されている。

2 児童虐待を予防する取り組み

①こども家庭センターの設置状況等

こども家庭庁は、2024（令和 6）年 5 月 1 日時点の全国 1,741 自治体における「こども家庭センター」の設置状況を調査し、同年 7 月 8 日に公表しました。現在、全国で 1,015 か所設置されています。

■市区町村の設置状況

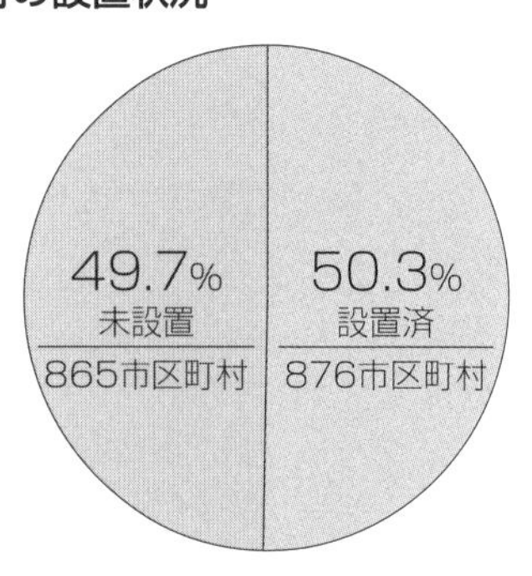

■統括支援員配置状況

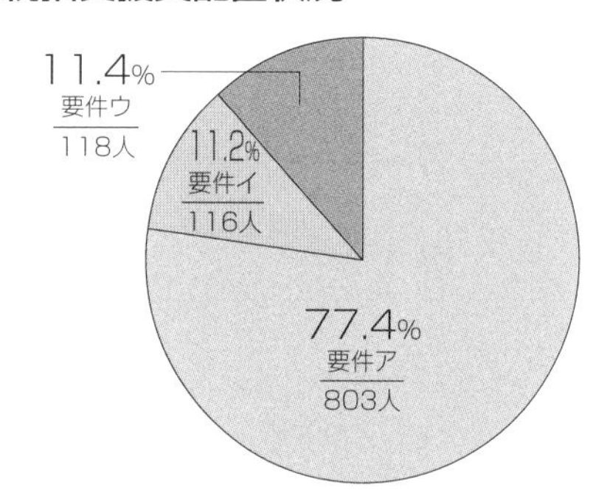

注 1　統括支援員とは、母子保健と児童福祉の適切な連携協力による一体的支援を促すため、こども家庭センター内の職員に必要な助言・指導を行うなど、実務面のリーダーシップを執って、母子保健と児童福祉の両部門にまたがるマネジメントを行う職員。こども家庭センター 1 か所あたり 1 名配置することとしている。

注 2　統括支援員の要件は、次のア、イ、ウのいずれかに該当する者であり、かつ、一体的支援に係る基礎的な事項に関する研修（基礎研修）を受講した者とする。

ア　保健師、社会福祉士、こども家庭ソーシャルワーカー等の母子保健、児童福祉に係る資格を有し、一定の母子保健又は児童福祉分野の実務経験を有する者

イ　母子保健機能、児童福祉機能における業務の双方（又はいずれか）において相談支援業務の経験があり、双方の役割に理解のある者

ウ　その他、市町村において上記と同等と認めた者

注 3　こども家庭センター 1 か所に統括支援員を 2 名以上配置したと回答した自治体があるため、合計人数は設置箇所数（1,015）と一致しない。

こども家庭庁「こども家庭センターの設置状況等について」より作成

②乳児家庭全戸訪問事業実施状況／養育支援訪問事業実施状況

■乳児家庭全戸訪問事業実施状況
（2020（令和 2）年 4 月 1 日現在）

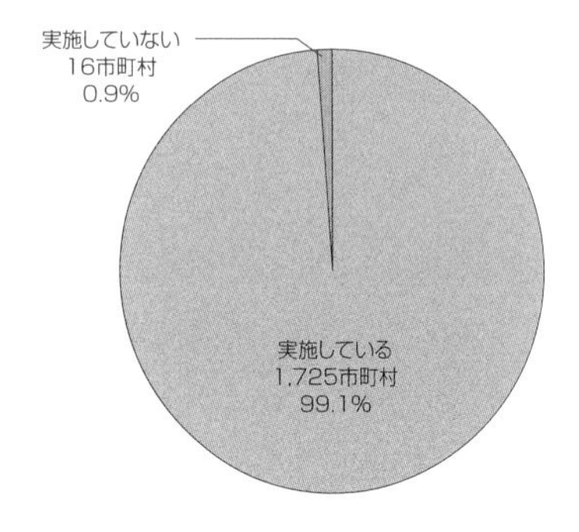

■養育支援訪問事業実施状況
（2020（令和 2）年 4 月 1 日現在）

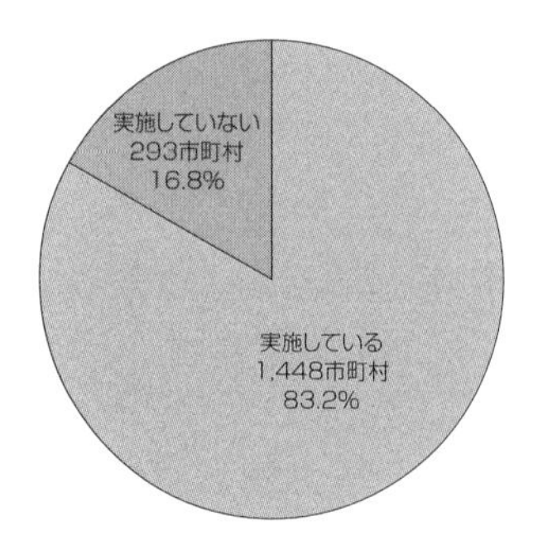

厚生労働省「市町村（虐待対応担当窓口等）の状況調査」

check!　乳児家庭全戸訪問事業は生後 4 か月までの乳児のいるすべての家庭を保健師や助産師、民生・児童委員等が訪問し、様々な不安や悩みを聞いたり、情報提供をしたりする事業である。特に支援が必要な家庭については、養育に関する指導・助言を行う養育支援訪問事業に引き継がれて、支援が継続される。

③子育て世帯訪問支援事業

2022（令和4）年の児童福祉法改正で創設された新規事業として、2024（令和6）年4月1日から開始されました。

1. 事業の目的

家事・子育て等に対して不安や負担を抱える子育て家庭、妊産婦、ヤングケアラー等がいる家庭の居宅を、訪問支援員が訪問し、家庭が抱える不安や悩みを傾聴するとともに、家事・子育て等の支援を実施することにより、家庭や養育環境を整え、虐待リスク等の高まりを未然に防ぐことを目的とする。

2. 実施主体

実施主体は、市町村（特別区及び一部事務組合を含む。以下同じ）とする。ただし、市町村が適切と認めた者に委託等を行うことができるものとする。

3. 事業の内容

支援の内容については、対象家庭を訪問し、(1)若しくは(2)又は(1)(2)を同時に行うことを基本に、家庭の状況に合わせ以下の内容を包括的に実施する。

(1) 家事支援（食事の準備、洗濯、掃除、買い物の代行やサポート、等）
(2) 育児・養育支援（育児のサポート、保育所等の送迎、宿題の見守り、外出時の補助、等）
(3) 子育て等に関する不安や悩みの傾聴、相談・助言（※）
※ 保護者に寄り添い、エンパワメントするための助言等。なお、保健師等の専門職による対応が必要な専門的な内容は除く。
(4) 地域の母子保健施策・子育て支援施策等に関する情報提供
(5) 支援対象者や児童の状況・養育環境の把握、市町村への報告

こども家庭庁「子育て世帯訪問支援事業実施要綱」より作成

④妊産婦等生活援助事業

2022（令和4）年の児童福祉法改正で創設された新規事業として、2024（令和6）年4月1日から開始されました。

1. 事業の目的

家庭生活に困難を抱える特定妊婦や出産後の母子等に対する支援の強化を図るため、一時的な住まいや食事の提供、その後の養育等に係る情報提供や、医療機関等の関係機関との連携を行う。

2. 事業の概要

家庭生活に困難を抱える特定妊婦や出産後の母と子等を支援するため、下記の業務を行う。

○利用者の状態に応じた支援計画の策定
○妊娠葛藤相談やこどもの養育相談、自立に向けた相談等の相談支援
○入居または通いによる居場所や食事の提供等の生活支援
○児童相談所や市町村（こども家庭センター含む）、児童福祉施設、医療機関等の関係機関との連携
○医療機関受診、就労支援機関の利用、行政手続き等の同行支援
⇒現行の産前・産後母子支援事業は、本事業創設に伴い廃止する。

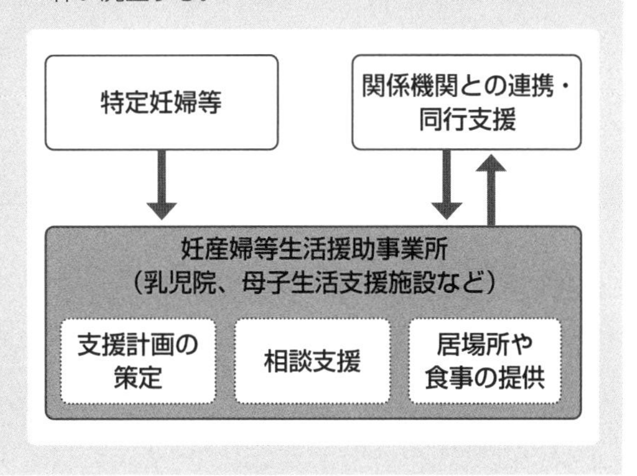

・こども家庭庁「妊産婦等生活援助事業ガイドライン」

⑤子育て家庭の孤立化

■近所で子どもを預かってくれる人の有無（全体、母親の年代別）

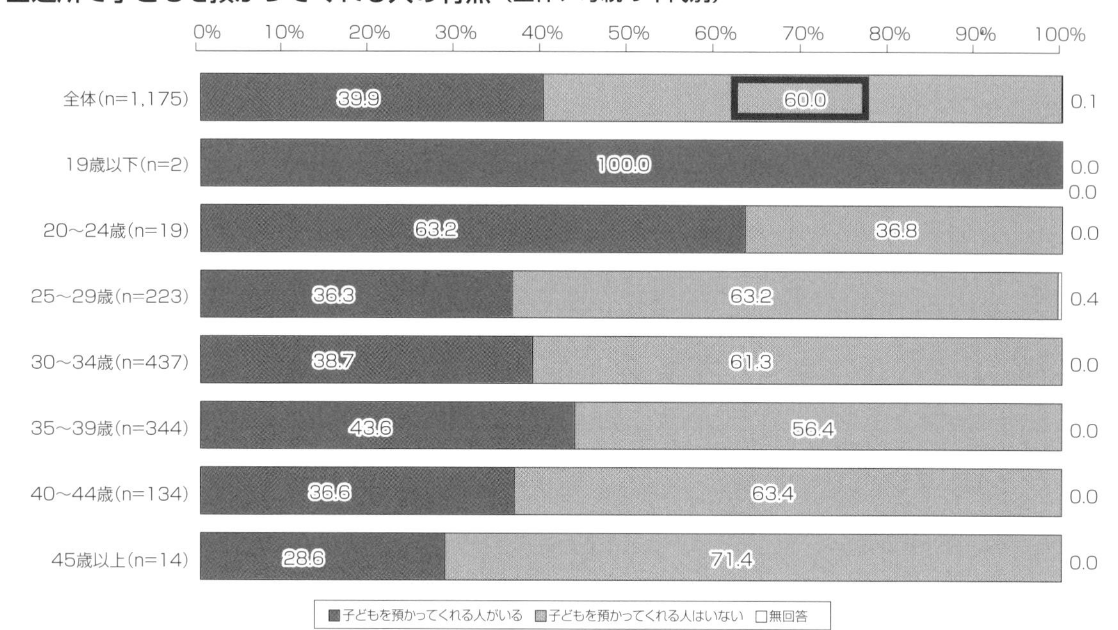

NPO 法人子育てひろば全国連絡協議会「地域子育て支援拠点事業に関するアンケート調査 2015 地域子育て支援拠点における「つながり」に関する調査研究事業 報告書（平成 28 年 3 月 31 日）」

check! 母親の 6 割が、「近所に子どもを預かってくれる人はいない」と回答している。子育てをサポートしてくれる親族や友人等が地域に少なくなっている。

⑥体罰等によらない子育て

2019（令和元）年 6 月の児童福祉法及び児童虐待の防止等に関する法律の改正により体罰の禁止が規定され、2020（令和 2）年 4 月から施行されています。

厚生労働省に設置された「体罰等によらない子育ての推進に関する検討会」は、2020（令和 2）年２月に、報告書「体罰等によらない子育てのために～みんなで育児を支える社会に～」をまとめました。報告書とともに作成されたリーフレットは、厚生労働省のホームページで公開され、配布用として広報・啓発活動のために使用されています。

なお、懸案であった民法に規定されていた懲戒権については、2022（令和４）年 12 月に削除され、新たに親権者に対して「子の人格を尊重するとともに、その年齢及び発達の程度に配慮しなければならず、かつ、体罰その他の子の心身の健全な発達に有害な影響を及ぼす言動をしてはならない」と規定されました。

民法の改正とともに、児童福祉法及び児童虐待の防止等に関する法律についても、民法の新たな規定に合わせる改正が行われました。

⑦子ども家庭福祉の民間認定資格（こども家庭ソーシャルワーカー）

子ども家庭福祉の現場にソーシャルワークの専門性を十分に身につけた人材を早期に輩出するため、一定の実務経験のある有資格者や現任者が、国の基準を満たす認定機関が認定した研修等を経て取得する、国が関与した民間認定資格「こども家庭ソーシャルワーカー」の養成が 2024（令和６）年４月から開始されました。

1. 資格取得に向けた研修等の対象者

〈社会福祉士・精神保健福祉士の資格を有する者〉

一定程度のこども家庭福祉の相談援助業務の経験（2年以上）がある者のほか、相談援助業務（2年以上）を行っており、こども家庭福祉の相談援助業務を業務量問わず行ったことがある者も対象。後者には追加研修の受講を求める。

〈こども家庭福祉の相談援助業務の実務経験者〉

一定程度のこども家庭福祉の相談援助業務の経験（４年以上）がある者が対象。

〈保育所等で勤務する保育士〉

地域連携推進員・保育所長・主任保育士・副主任保育士等のいずれかで、相談援助業務の経験がある者（４年以上）が対象。

2. 研修の内容

こども家庭福祉指定研修（一律 100.5 時間）とソーシャルワークに係る研修（実務経験者：97.5 時間、保育所等保育士：165 時間）で構成。

3. 試験のありかた

認定機関が毎年１回以上実施。内容は事例問題を含めた選択式とし、どのルートの受講者も同様。

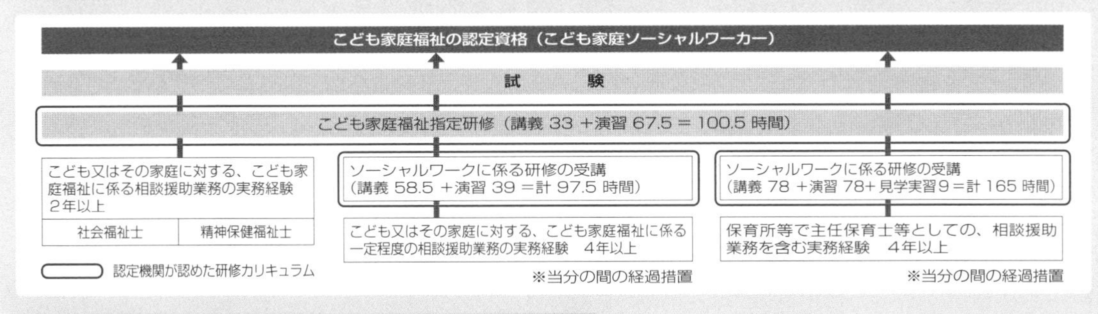

4. こども家庭ソーシャルワーカーの専門性の柱

1. こども家庭福祉を担うソーシャルワークの専門職としての姿勢を培い維持すること	2. こどもの発達と養育環境等のこどもを取り巻く環境を理解すること	3. こどもや家庭への支援の方法を理解・実践できること

こども家庭庁こども家庭審議会児童虐待防止対策部会（第１回）
資料４「改正法の施行に向けた検討状況について（令和５年５月 12 日）」を一部改変

3 死亡事例等の検証

①児童虐待による死亡事例件数の推移

	第1次報告 (H15.7.1～H15.12.31)			第3次報告 (H17.1.1～H17.12.31)			第5次報告 (H19.1.1～H20.3.31)			第7次報告 (H21.4.1～H22.3.31)		
	虐待死	心中	計	虐待死	心中	計	虐待死	心中	計	虐待死	心中	計
例数	24	－	24	51	19	70	73	42	115	47	30	77
人数	25	－	25	56	30	86	78	64	142	49	39	88

	第9次報告 (H23.4.1～H24.3.31)			第11次報告 (H25.4.1～H26.3.31)			第13次報告 (H27.4.1～H28.3.31)			第15次報告 (H29.4.1～H30.3.31)		
	虐待死	心中	計	虐待死	心中	計	虐待死	心中	計	虐待死	心中	計
例数	56	29	85	36	27	63	48 (8)	24 (0)	72 (8)	50 (23)	8 (0)	58 (23)
人数	58	41	99	36	33	69	52 (8)	32 (0)	84 (8)	52 (23)	13 (0)	65 (23)

	第16次報告 (H30.4.1～H31.3.31)			第17次報告 (H31.4.1～R2.3.31)			第18次報告 (R2.4.1～R3.3.31)			第19次報告 (R3.4.1～R4.3.31)			第20次報告 (R4.4.1～R5.3.31)		
	虐待死	心中	計	虐待死	心中	計	虐待死	心中	計	虐待死	心中	計	虐待死	心中	計
例数	51 (22)	13 (2)	64 (24)	56 (35)	16 (3)	72 (38)	47 (15)	19 (0)	66 (15)	50 (21)	18 (0)	68 (21)	54 (26)	11 (0)	65 (26)
人数	54 (22)	19 (3)	73 (25)	57 (35)	21 (6)	78 (41)	49 (15)	28 (0)	77 (15)	50 (21)	24 (0)	74 (21)	56 (27)	16 (0)	72 (27)

（注 1）表中、「心中」とあるのは「心中による虐待死（未遂を含む）」、「虐待死」とあるのは「心中以外の虐待死」。
（注 2）( ) 内は、都道府県等が虐待による死亡と断定できないと報告のあった事例について、本委員会にて検証を行い、虐待死として検証すべきと判断された事例の内数。

こども家庭審議会児童虐待防止対策部会
児童虐待等要保護事例の検証に関する専門委員会
「こども虐待による死亡事例等の検証結果等について」

②児童虐待による死亡事例等を防ぐために留意すべきリスク

養育者の側面

- 妊娠の届出がなされておらず、母子健康手帳が未発行である
- 妊婦健康診査が未受診である又は受診回数が極端に少ない
- 関係機関からの連絡を拒否している（途中から関係が変化した場合も含む）
- 予期しない妊娠／計画していない妊娠
- 医師、助産師の立会いなく自宅等で出産
- 乳幼児健康診査や就学時の健康診断が未受診である又は予防接種が未接種である（途中から受診しなくなった場合も含む）
- 精神疾患や抑うつ状態（産後うつ、マタニティブルーズ等）知的障害などにより自ら適切な支援を求められない
- 過去に自殺企図がある
- 保護者が DV の問題を抱えている
- こどもの発達等に関する強い不安や悩みを抱えている
- 家庭として養育能力の不足等がある若年（10 代）妊娠
- こどもを保護してほしい等、養育者が自ら相談してくる
- 虐待が疑われるにもかかわらず養育者が虐待を否定
- 訪問等をしてもこどもに会わせない
- 多胎児を含む複数人のこどもがいる
- 安全でない環境にこどもだけを置いている
- きょうだいなどによる不適切な養育・監護を放置している
- 保護者に複雑な生育歴・過去の逆境体験がある

生活環境等の側面

- 児童委員、近隣住民等から様子が気にかかる旨の情報提供がある
- 生活上に何らかの困難を抱えている
- 転居を繰り返している
- 社会的な支援、親族等から孤立している（させられている）
- 家族関係や家族構造、家族の健康状態に変化があった

こどもの側面

- こどもの身体、特に、顔や首、頭、腹部等に外傷が認められる
- 一定期間の体重増加不良や低栄養状態が認められる
- 多胎児のきょうだい間で体重増加等の発育及び発達等に差異がある
- こどもが学校・保育所等を不明確・不自然な理由で休む
- 施設等への入退所を繰り返している
- 一時保護等の措置を解除し家庭復帰後6か月以内の死亡事案が多い
- きょうだいに虐待や不適切な養育があった
- こどもが保護を求めている、または養育が適切に行われていないことを示す発言がある

援助過程の側面

- 保護者の交際相手や同居等の生活上の関わりが強く、こどもの養育に一定の関与がある者も含めた家族全体を捉えたリスクアセスメントが不足している
- こどもの声（表情、視線、泣き声、体の動かし方等含）を聴き、ニーズを把握することを意識した対応ができていない
- こどもの発言等をアセスメントや支援方針に活かせていない
- 関係機関や関係部署が把握している情報を共有できず、得られた情報を統合し、虐待発生のリスクを認識することができていない
- リスク評価や対応方針について組織としての判断ができていない
- 継続的に支援している事例について、定期的及び状況の変化に応じたアセスメントが適切に行われていない
- 転居時に関係機関が一堂に会した十分な引継ぎが行えていない
- 離婚や転居、きょうだいの施設入所など、生活環境や家族関係の変化に応じた迅速なリスクアセスメントと支援方針の見直し、検討ができていない
- 関係機関間で同一の支援方針による対応ができておらず、見守り支援における具体的内容も共有されていない
- 虐待されている状態の継続が事態の悪化だと捉えられていない

※こどもが低年齢・未就園である場合や離婚・未婚等によりひとり親である場合に、上記ポイントに該当するときには、特に注意して対応する必要がある。
（下線部分は、第 20 次報告より追加した留意すべきポイント）

こども家庭審議会児童虐待防止対策部会児童虐待等要保護事例の検証に関する専門委員会
「こども虐待による死亡事例等の検証結果等について（第 20 次報告）の概要」

7 ひとり親家庭・女性への施策

ひとり親家庭の親は、生計の維持と子どもの養育という２つの大きな責任を一人で担っています。子どもを育てながら自立した生活を送ることができるように、子育て・生活支援、就業支援、養育費確保支援、経済的支援の４本柱により総合的な自立支援策が推進されています。

経済的支援の１つである児童扶養手当は、ひとり親世帯で 18 歳未満の児童を監護(かんご)する母ないし父、またはその他の養育者に支給されます。就労等の収入額と手当額を加えた年間総収入額が激変しないよう、手当額はきめ細かく設定されています。また子どもが２人目以降の場合は１人につき最大で月額 10,750 円が加算されます。

1 ひとり親家庭の現状

①世帯数とひとり親世帯になった理由

	母子世帯	父子世帯
1　世帯数（推計値）	119.5 万世帯	14.9 万世帯
2　ひとり親世帯になった理由	離婚　79.5% 死別　5.3%	離婚　69.7% 死別　21.3%

厚生労働省「令和３年度全国ひとり親世帯等調査」より作成

②ひとり親世帯の世帯構成

■母子世帯

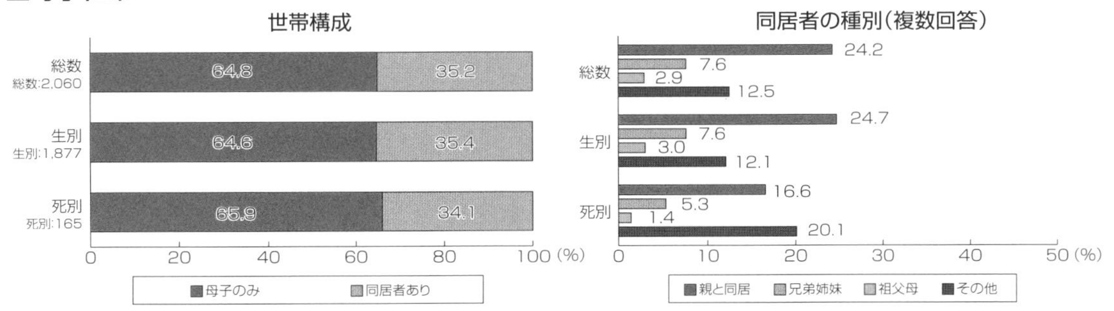

■父子世帯

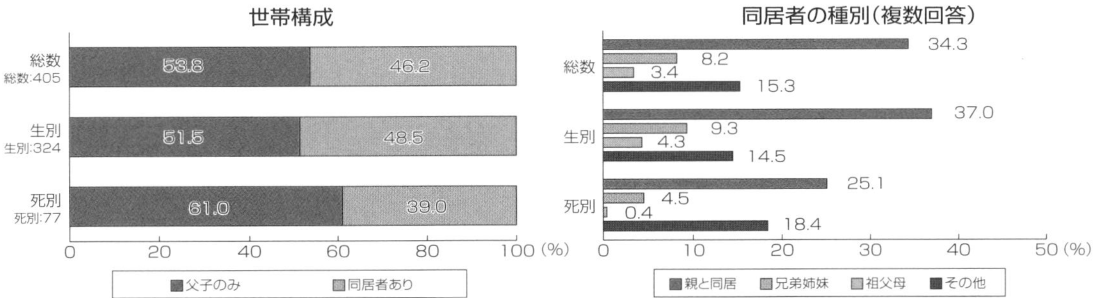

厚生労働省「令和３年度全国ひとり親世帯等調査」より作成

check! ひとり親家庭の支援は、ひとり親家庭になった経緯、同居しない親との別離や喪失感、面会交流の有無や内容、同居者の有無やその者との関係、再婚によって始まる新たな家族（ステップファミリー）の形成とともに理解する必要がある。

③ひとり親世帯の就労収入

■母子世帯

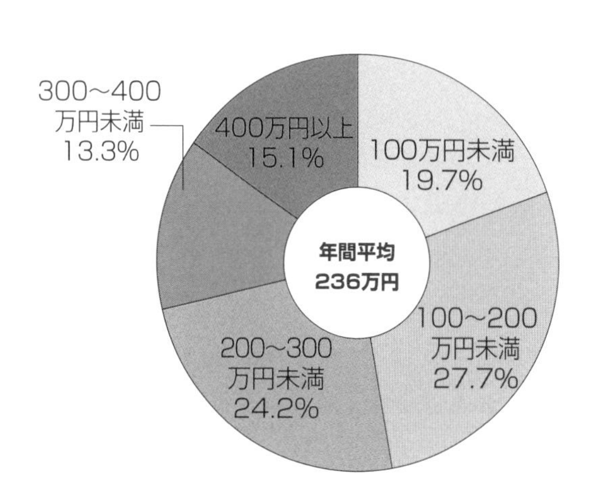

■父子世帯

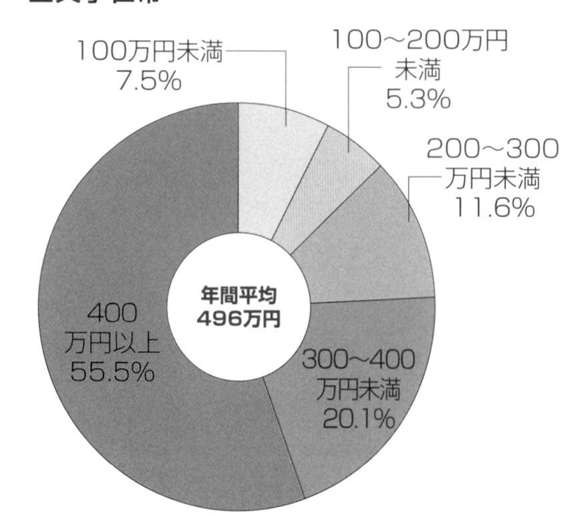

厚生労働省「令和３年度全国ひとり親世帯等調査」より作成

check! 母子世帯の年間平均就労収入は 236 万円。収入が 100 万円未満の世帯が約２割である。父子世帯の年間平均就労収入は 496 万円だが、300 万円未満の世帯が約 25%ある。本調査は５年に一度の調査であることから、前回に比べて一定の改善が見られるが、食料など生活必需品の急激な値上がりなどを考慮すると、生活の厳しさが続いているとみられる。

④養育費と面会交流の状況

	離婚母子世帯	離婚父子世帯
養育費の取り決めをしている	46.7%	28.3%
養育費を現在も受給している	28.1%	8.7%
面会交流の取り決めをしている	30.3%	31.4%
面会交流を現在も行っている	30.2%	48.0%

厚生労働省「令和３年度全国ひとり親世帯等調査」より作成

check!

- 養育費の取り決めをしている割合は、母子世帯で４割強である一方、父子世帯では３割弱となっている。母子世帯では取り決めをしている割合が比較的多いものの、現在も養育費を受給している割合はかなり低い。なお、ひとり親世帯になってからの年数が短いほうが、「取り決めをしている」と回答した世帯の割合が高い。また、「未婚」は、「離婚」と比べて養育費の取り決めをしている割合が低くなっている。
- 養育費の取り決めをしていない最も大きな理由については、母子世帯では「相手と関わりたくない」が最も多く、次いで「相手に支払う意思がないと思った」となっており、父子世帯では「自分の収入等で経済的に問題ない」が最も多く、次いで「相手と関わりたくない」となっている。
- 面会交流については、父子世帯において、取り決めをしていなくても現在も交流しているという傾向が強い。

⑤共同親権

2024（令和６）年５月、民法等の一部を改正する法律が公布されました。

日本ではこれまで、離婚後の親権は、父母のいずれかが親権者になる「単独親権」制度がとられてきました。改正によって、父母の協議により、「父母双方又は一方を親権者と指定すること」ができるとされ、「共同親権」が選択できることとなりました。改正法には、婚姻中を含めた親権の行使に関する規定や離婚後の養育費の確保、安心・安全な親子交流に関する規定も含まれています。

施行時期は、公布から２年以内とされています。様々な事項に影響が及び、ひとり親家庭への支援をはじめとする子ども家庭福祉の実践にも大きく影響することが見込まれるため、施行のための準備にも注目し続けていくことが必要です。

民法等の一部を改正する法律の概要

【背景・課題】
- 父母の離婚が子の養育に与える**深刻な影響**、子の養育の在り方の**多様化**
- 現状では養育費・親子交流は取決率も履行率も低調
- 離婚後も、**父母双方が適切な形で子を養育する責任を果たすことが必要**

【検討の経過】
令和３年２月　法務大臣から法制審議会へ諮問
令和６年２月　法制審議会から法務大臣に答申
令和６年３月　法律案閣議決定
令和６年５月　成立・公布
➡ **公布から２年以内に施行予定**

第１　親の責務等に関する規定を新設
- 婚姻関係の有無にかかわらず**父母が子に対して負う責務を明確化**（民法 817 の 12）
  （子の心身の健全な発達を図るため子の人格を尊重すること、父母が互いに人格を尊重し協力すること等）
- **親権が子の利益のために行使されなければならない**ものであることを明確化（民法 818 等）

第２　親権・監護等に関する規定の見直し

１ 離婚後の親権者に関する規定を見直し（民法 819 等）
- 協議離婚の際は、父母の協議により父母双方又は一方を親権者と指定することができる。
- 協議が調わない場合、裁判所は、子の利益の観点から、**父母双方又は一方**を親権者と指定する。
  ➡ 父母双方を親権者とすることで**子の利益を害する場合には単独親権としなければならない。**
  例：**子への虐待**のおそれがあるケース
  ※虐待や DV は身体的なものに限らない。
  DV のおそれや協議が調わない理由その他の事情を考慮し、親権の共同行使が困難なケース
- 親権者変更に当たって**協議の経過**を考慮することを明確化
  ※不適正な合意がされたケースにも対応

２ 婚姻中を含めた親権行使に関する規定を整備（民法824の2等）
- 父母双方が親権者であるときは共同行使することとしつつ、**親権の単独行使が可能な場合を明確化**
  - **子の利益のため急迫の事情があるとき**（DV・虐待からの避難、緊急の場合の医療等）
  - **監護及び教育に関する日常の行為**（子の身の回りの世話等）
- 父母の意見対立を調整するための**裁判手続を新設**

３ 監護の分掌に関する規定や、監護者の権利義務に関する規定を整備（民法 766、824 の３等）

第３　養育費の履行確保に向けた見直し
- **養育費債権に優先権（先取特権）**を付与（債務名義がなくても差押え可能に）（民法 306、308 の２等）
- **法定養育費制度**を導入（父母の協議等による取決めがない場合にも、養育費請求が可能に）（民法 766 の３等）
- 執行手続の負担軽減策（**ワンストップ化**）や、収入情報の開示命令などの裁判手続の規定を整備（民執法 167 の 17、人訴法 34 の３、家手法 152 の２等）

第４　安全・安心な親子交流の実現に向けた見直し
- 審判・調停前等の**親子交流の試行的実施**に関する規定を整備（人訴法 34 の４、家手法 152 の３等）
- **婚姻中別居の場面における親子交流**に関する規定を整備（民法 817 の 13 等）
- **父母以外の親族（祖父母等）と子との交流**に関する規定を整備（民法 766 の２等）

第５　その他の見直し
- 養子縁組後の親権者に関する規定の明確化、養子縁組の代諾等に関する規定を整備（民法 797、818 等）
- 財産分与の**請求期間を２年から５年に伸長、考慮要素を明確化**（民法 768 等）
  （婚姻中の財産取得・維持に対する寄与の割合を原則２分の１ずつに）
- 夫婦間契約の取消権、裁判離婚の原因等の見直し（民法 754、770）

法務省資料を一部改変

check! 離婚後も父母双方が親であることから、父母双方が責任を持つことは本来目指されるものである。しかし、共同親権では、父母双方が自己主張を続けて争いが続くことや力関係で親権行使が決まる事態が変わらず、子どもの権利の保障につながらない恐れがあるとの指摘もある。離婚原因が、夫婦間の暴力や責任の不履行、子どもへの暴力であっても、それらが隠されたまま続く場合は深刻である。

2 就業・自立に向けた総合的な支援策

ひとり親家庭等の自立支援策の体系

●ひとり親家庭等に対する支援として、「子育て･生活支援策」「就業支援策」「養育費確保策」「経済的支援策」の４本柱により施策を推進。

子育て・生活支援	就業支援	養育費確保支援	経済的支援
●母子･父子自立支援員による相談支援 ●ヘルパー派遣、保育所等の優先入所 ●子どもの生活・学習支援事業等による子どもへの支援 ●母子生活支援施設の機能拡充　など	●母子・父子自立支援プログラムの策定やハローワーク等との連携による就業支援の推進 ●母子家庭等就業・自立支援センター事業の推進 ●能力開発等のための給付金の支給　など	●養育費等相談支援センター事業の推進 ●母子家庭等就業・自立支援センター等における養育費相談の推進 ●「養育費の手引き」やリーフレットの配布　など	●児童扶養手当の支給 ●母子父子寡婦福祉資金の貸付 ●就職のための技能習得や児童の修学など 12 種類の福祉資金を貸付　など

●「母子及び父子並びに寡婦福祉法」に基づき、
①国が基本方針を定め、
②都道府県等は、基本方針に即し、区域におけるひとり親家庭等の動向、基本的な施策の方針、具体的な措置に関する事項を定める自立促進計画を策定。

ひとり親支援施策の変遷

●平成 14 年より「就業･自立に向けた総合的な支援」へと施策を強化し、「子育て･生活支援策」、「就業支援策」、「養育費確保策」、「経済的支援策」の４本柱により施策を推進中。
●平成 24 年に「母子家庭の母及び父子家庭の父の就業の支援に関する特別措置法」が成立。
●平成 26 年の法改正（※）により、支援体制の充実、就業支援施策及び子育て･生活支援施策の強化、施策の周知の強化、父子家庭への支援の拡大、児童扶養手当と公的年金等との併給制限の見直しを実施。（※母子及び父子並びに寡婦福祉法、児童扶養手当法）
●平成 28 年の児童扶養手当法の改正により、第２子、第３子以降加算額の最大倍増を実施。
●平成 30 年の児童扶養手当法の改正により、支払回数を年３回から年６回への見直しを実施。
●令和２年の児童扶養手当法の改正により、児童扶養手当と障害年金の併給調整の見直しを実施。
●令和６年の児童扶養手当法の改正により、所得制限の緩和及び第３子以降の加算額を第２子と同額まで引き上げ。

こども家庭庁「ひとり親家庭等の支援について（令和６年８月）」を一部改変

3 母子・父子自立支援員による相談（令和3年度）

■相談件数（651,245 件）

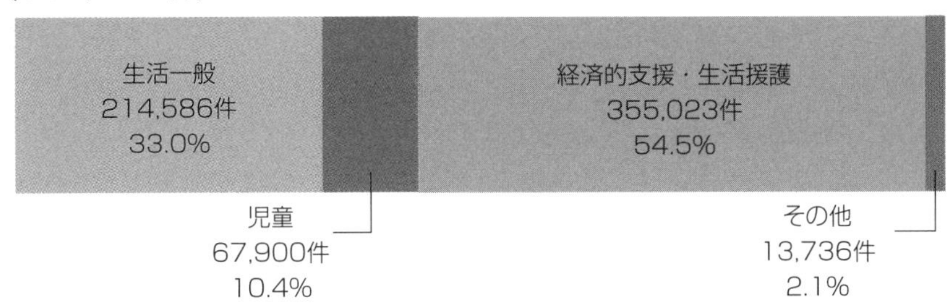

こども家庭庁「令和４年度母子家庭の母及び父子家庭の父の自立支援施策の実施状況」

4 児童扶養手当

①令和４年度末児童扶養手当受給者数

（単位：人）

	総数	生別世帯		死別世帯	未婚世帯	父又は母が障害者世帯	父又は母による遺棄世帯	父又は母がDV保護命令を受けた世帯
		離婚	その他					
母子世帯	749,637 (100.0%)	640,319 (85.4%)	500 (0.1%)	4,289 (0.6%)	97,548 (13.0%)	4,507 (0.6%)	1,632 (0.2%)	842 (0.1%)
父子世帯	38,626 (100.0%)	34,431 (89.1%)	25 (0.1%)	1,870 (4.8%)	602 (1.6%)	1,567 (4.1%)	127 (0.3%)	4 (0.0%)
その他の世帯※	29,704							
計	817,967							

※その他の世帯は、２人以上の児童がそれぞれ異なる支給事由に該当する場合に当該児童を父又は母が監護等する世帯及び父又は母以外の者が養育する世帯

こども家庭庁「ひとり親家庭等の支援について（令和6年8月）」

②令和６年度手当額の例（手当受給者と子１人の家庭の場合）

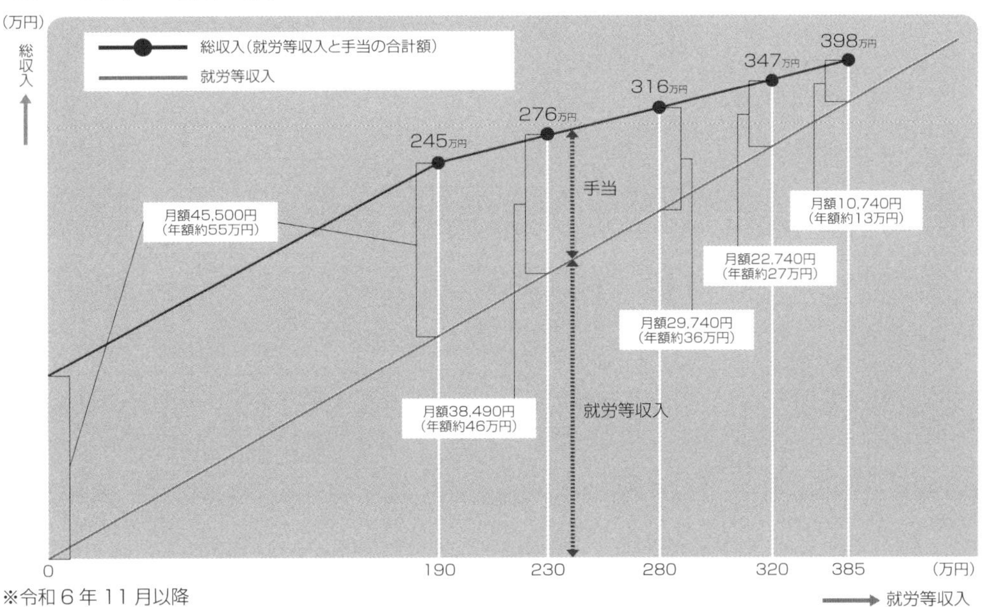

※令和６年 11 月以降

こども家庭庁「ひとり親家庭等の支援について（令和6年8月）」より作成

5 困難な問題を抱える女性への支援（女性支援事業）

女性支援事業は、1956（昭和 31）年に公布された売春防止法に基づき、売春を行うおそれのある女子を保護する事業として発足しました。その後、支援ニーズの多様化に伴い、家族関係の破綻や生活困窮等の問題を抱える女性も対象とされるようになりました。

また、2001（平成 13）年からはＤＶ被害者、2004（平成 16）年からは風俗営業等による人身取引被害者、2013（平成 25）年からはストーカー被害者が、それぞれ事業対象とされ、女性支援事業は現に支援や保護を必要とする女性の支援に大きな役割を果たすようになりました。

さらに、事業開始当初は想定されなかった、性暴力・性被害に遭った 10 代の女性への支援や、近年では、ＡＶ出演強要、ＪＫビジネス問題への対応も必要だと意識されるようになりました。

2018（平成 30）年７月には、厚生労働省に「困難な問題を抱える女性への支援のあり方に関する検討会」が設置され、2022（令和４）年５月に「困難な問題を抱える女性への支援に関する法律」が公布されました（2024（令和６）年４月施行）。

この法律では、売春防止法を根拠とした従来の枠組みから転換し、困難な問題を抱える女性を支援するという新たな枠組みを構築して、様々な問題に直面する女性を対象とした包括的な支援制度とすることとされました。この考え方のもとで、婦人相談所（一時保護所）、婦人相談員及び婦人保護施設の名称を見直し、利用者の実情に応じた支援を柔軟に担える仕組みや体制を整備すること、施設入所だけでなく通所やアウトリーチなどの伴走型支援を行うこと、未成年の若年女性に対する広域的な情報共有や連携、監護すべき児童を同伴する場合の当該児童の支援対象としての位置づけの明確化などが盛り込まれました。

女性支援事業の概要

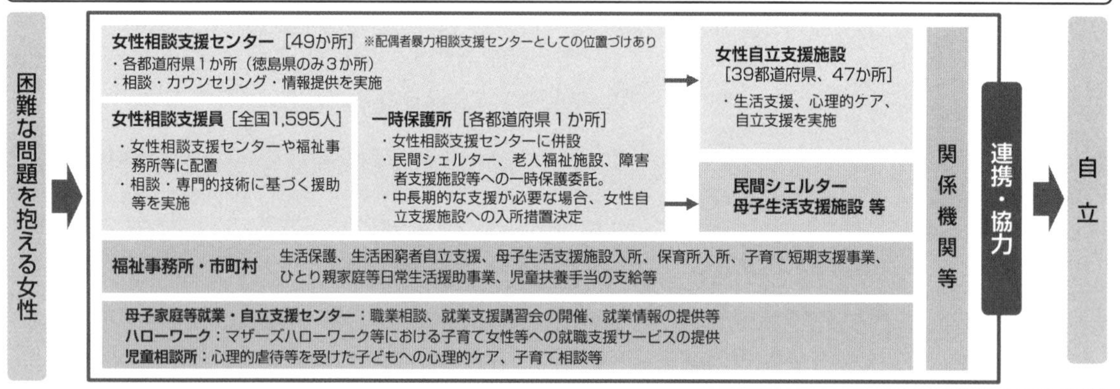

（令和５年４月１日現在）

厚生労働省社会・援護局総務課女性支援室「困難な問題を抱える女性への支援について（令和６年５月）」

check! 「困難な問題を抱える女性への支援に関する法律」では、困難な問題を抱える女性の福祉の増進を図るための基本理念、国及び地方公共団体の責務、基本方針及び都道府県基本計画等の策定、女性相談支援センターによる支援等について定められた。2023 年４月１日現在、女性相談支援員は 1,595 人、女性相談支援センターは 49 か所、女性自立支援施設は 47 か所ある。

8 障害のある子どもと家庭への施策

国連の児童権利宣言や児童の権利に関する条約にもあるように、子どもは心身ともに健全に育つ権利を保障されるべきもので、これは、障害のある子どもについても同様です。障害児に対する支援は、児童福祉法を基本として国、地方自治体等が相互に連携しながら児童福祉の向上を図りつつ進められてきました。また、児童福祉法の改正により、2012（平成24）年４月から身近な地域で支援を受けられるよう従来障害種別ごとに分かれていた施設体系が再編され、通所による支援を「障害児通所支援」に、入所による支援を「障害児入所支援」にそれぞれ一元化するとともに、障害児通所支援に係る実施主体が、都道府県から市町村に移行されました。あわせて、学齢期における支援の充実のための「放課後等デイサービス」と、保育所などを訪問し専門的な支援を行うための「保育所等訪問支援」が創設されるなど、支援体制の充実が図られています。

- 知的障害とは、知的機能の障害が発達期（おおむね18歳まで）にあらわれ、日常生活に持続的な支障が生じているため、何らかの特別な援助を必要とする状態にあることをいいます。
- 身体障害とは先天的あるいは後天的な理由で、身体機能の一部に障害を生じている状態にあることをいいます。
- 身体障害児とは、手足の不自由な児童（肢体不自由児）、目の不自由な児童（視覚障害児）、耳の不自由な児童（聴覚障害児）など、からだの不自由な児童をいいます。
- 発達障害とは、自閉症、アスペルガー症候群等の広汎性発達障害、学習障害（LD）、注意欠陥多動性障害（ADHD）などの脳機能の障害で、その症状が通常低年齢において発現するものをいいます。

1 障害児の状況

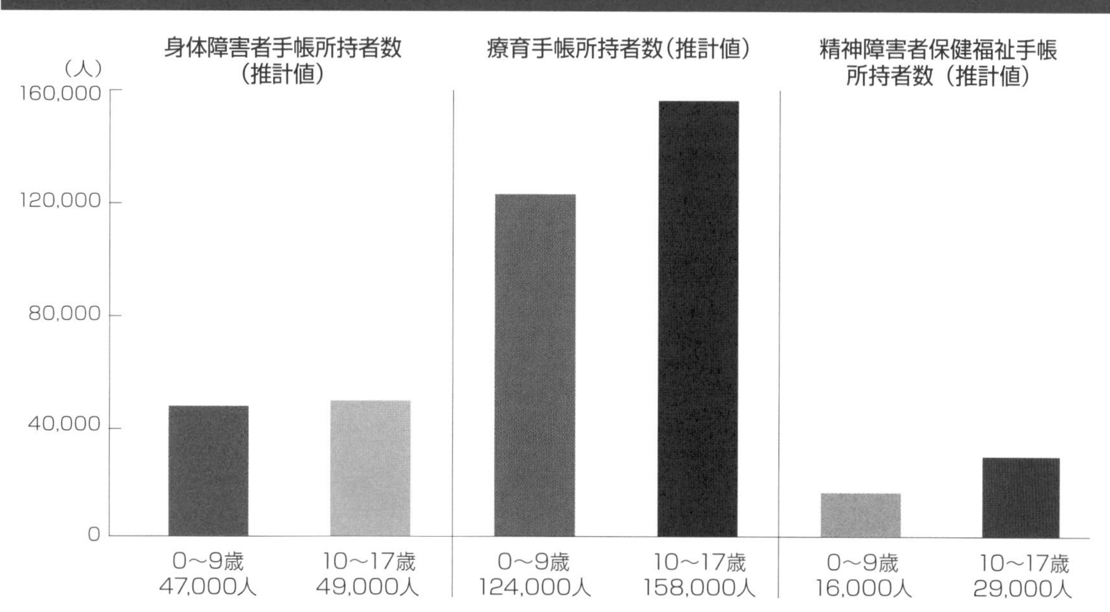

厚生労働省「令和４年生活のしづらさなどに関する調査」（全国在宅障害児・者等実態調査）

2 障害児の地域支援体制の整備の方向性のイメージ

厚生労働省の「障害児支援の在り方に関する検討会」は、2014（平成 26）年 7 月 16 日に「今後の障害児支援の在り方について（報告書）～「発達支援」が必要な子どもの支援はどうあるべきか～」をとりまとめました。この報告書で示された方向性をふまえ、障害児の地域支援体制整備が行われています。

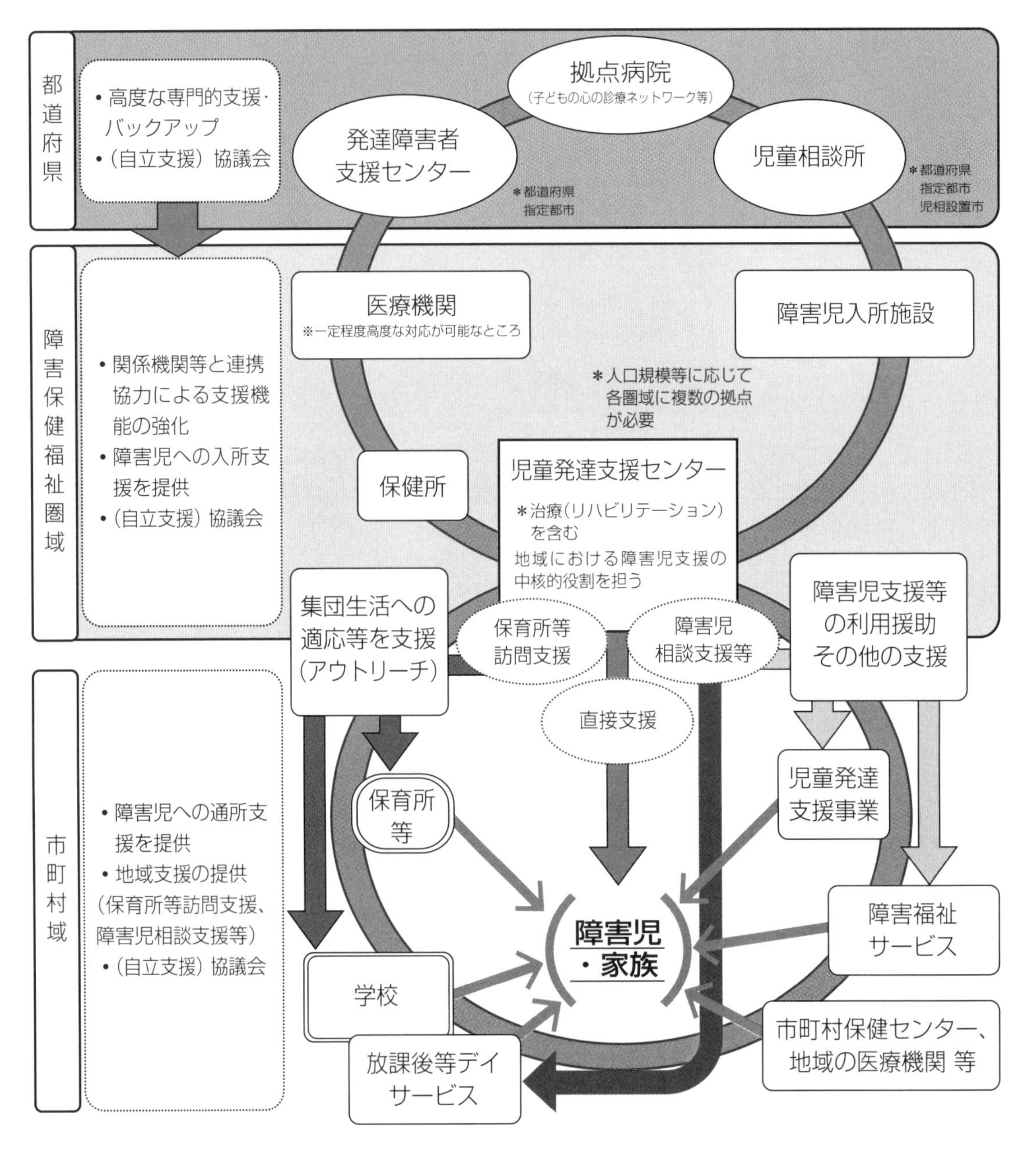

厚生労働省「今後の障害児支援の在り方について（報告書）～「発達支援」が必要な子どもの支援はどうあるべきか～（平成 26 年 7 月 16 日）」を一部改変

2022（令和４）年の児童福祉法改正では、児童発達支援センターが地域における障害児支援の中核的役割を担うことが明確化され、類型（福祉型・医療型）の一元化が行われました。

児童発達支援センターの役割・機能の強化

改正の背景

- 主に未就学の障害児の発達支援を行う「児童発達支援センター」については、地域における中核的役割を果たすことが期待されているが、果たすべき機能や、一般の「児童発達支援事業所」との役割分担が明確でない。
- 障害児通所支援については、平成 24 年の法改正において、障害児や家族にとって身近な地域で必要な発達支援を受けられるよう、障害種別毎に分かれていた給付体系をできる限り一元化したが、児童発達支援センターは「福祉型」と「医療型」（肢体不自由児を対象）に分かれ、障害種別による類型となっている。

改正の内容

①**児童発達支援センターが、地域における障害児支援の中核的役割を担うことを明確化**する。

⇒これにより、多様な障害のある子どもや家庭環境等に困難を抱えた子ども等に対し、適切な発達支援の提供につなげるとともに、地域全体の障害児支援の質の底上げを図る。

〈「中核的役割」として明確化する具体的な役割・機能のイメージ〉

⑴幅広い高度な専門性に基づく発達支援・家族支援機能

⑵地域の障害児通所支援事業所に対するスーパーバイズ・コンサルテーション機能（支援内容等の助言・援助機能）

⑶地域のインクルージョン推進の中核としての機能

⑷地域の障害児の発達支援の入口としての相談機能

②**児童発達支援センターの類型（福祉型・医療型）の一元化**を行う。

⇒これにより、障害種別にかかわらず、身近な地域で必要な発達支援を受けられるようにする。

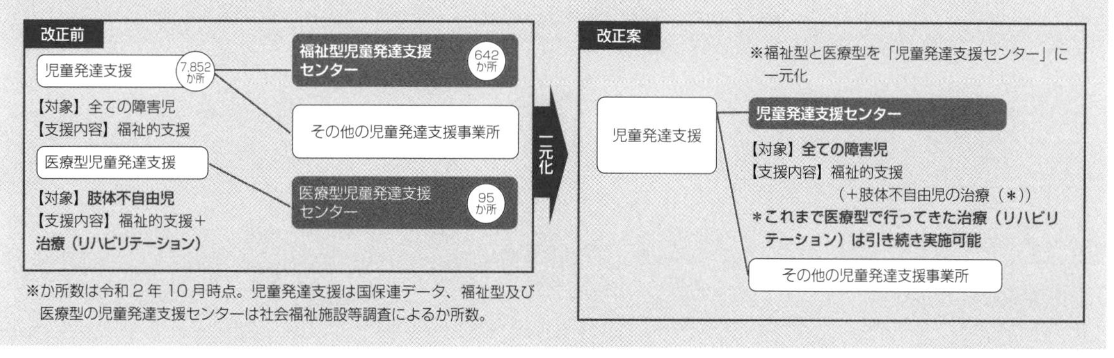

こども家庭庁資料を一部改変

3 障害児が利用可能な支援の体系（専門施策）

	サービス名		法律	利用者数	施設・事業所数
訪問系	居宅介護（ホームヘルプ）	自宅で、入浴、排せつ、食事の介護等を行う。	障害者総合支援法	282,179	25,263
訪問系	同行援護	視覚障害により移動に著しい困難を有する人が外出するとき、必要な情報提供や介護を行う。	障害者総合支援法	29,138	8,359
訪問系	行動援護	自己判断能力が制限されている人が行動するときに、危険を回避するために必要な支援、外出支援を行う。	障害者総合支援法	15,563	2,813
訪問系	重度障害者等包括支援	介護の必要性がとても高い人に、居宅介護等複数のサービスを包括的に行う。	障害者総合支援法	23	22
日中活動系	短期入所（ショートステイ）	自宅で介護する人が病気の場合などに、短期間、夜間も含め施設で、入浴、排せつ、食事の介護等を行う。	障害者総合支援法	49,131	7,486
障害児通所系	児童発達支援	日常生活における基本的な動作の指導、知識技能の付与、集団生活への適応訓練などの支援及び治療を行う。	児童福祉法	201,919	11,803
障害児通所系	放課後等デイサービス	授業の終了後または休校日に、児童発達支援センター等の施設に通わせ、生活能力向上のための必要な訓練、社会との交流促進などの支援を行う。	児童福祉法	497,875	19,408
障害児訪問系	居宅訪問型児童発達支援	重度の障害等により外出が著しく困難な障害児の居宅を訪問して発達支援を行う。	児童福祉法	324	255
障害児訪問系	保育所等訪問支援	保育所等を訪問し、障害児に対して、障害児以外の児童との集団生活への適応のための専門的な支援などを行う。	児童福祉法	14,643	2,281
障害児入所系	福祉型障害児入所施設	施設に入所している障害児に対して、保護、日常生活の指導及び知識技能の付与を行う。	児童福祉法	5,964	243
障害児入所系	医療型障害児入所施設	施設に入所または指定医療機関に入院している障害児に対して、保護、日常生活の指導及び知識技能の付与ならびに治療を行う。	児童福祉法	7,785	221
相談支援系	計画相談支援	【サービス利用支援】 ・サービス申請に係る支給決定前にサービス等利用計画案を作成。 ・支給決定後、事業者等と連絡調整等を行い、サービス等利用計画を作成。 【継続サービス利用支援】 ・サービス等の利用状況等の検証（モニタリング）。 ・事業所等と連絡調整、必要に応じて新たな支給決定等に係る申請の勧奨。	支援法	274,636	11,707
相談支援系	障害児相談支援	【障害児支援利用援助】 ・障害児通所支援の申請に係る給付決定の前に利用計画案を作成。 ・給付決定後、事業者等と連絡調整等を行うとともに利用計画を作成。 【継続障害児支援利用援助】	児福法	104,712	8,619

注１　利用者数及び施設・事業所数は令和４年社会福祉施設等調査による。
注２　障害者総合支援法に基づくサービスは、18 歳以上の障害者も利用者数に含まれている。

厚生労働省「障害福祉サービス等について」を参考に作成

4 障害児に関する手当制度の概要

	特別児童扶養手当	障害児福祉手当
目的	精神または身体に障害を有する児童について手当を支給することにより、これらの児童の福祉の増進を図る。	重度障害児に対して、その障害のため必要となる精神的、物質的な特別の負担の軽減の一助として手当を支給することにより重度障害児の福祉の向上を図る。
支給要件	1. 20歳未満　2. 在宅のみ 3. 父母または養育者が受給	1. 20歳未満　2. 在宅のみ 3. 本人が受給
障害程度	1級…身障1級2級及び3級の一部 2級…身障2級の一部、3級及び4級の一部 ※精神及び知的は上記と同程度	身障1級及び2級の一部 ※精神及び知的は上記と同程度
給付月額（2024（令和6）年度）	1級　55,350円 2級　36,860円	15,690円
所得制限（年収の目安）	1. 本人（4人世帯）7,707千円 2. 扶養（6人世帯）9,438千円	1. 本人（4人世帯）6,604千円 2. 扶養（6人世帯）9,438千円
給付人員（2022（令和4）年度末）	1級　96,039人 2級　182,183人	62,945人
負担率	国10／10	国3／4 都道府県、市または福祉事務所設置町村1／4
支給事務	国	都道府県、市または福祉事務所設置町村

（注）所得制限限度額は、2021（令和3）年8月からの額である。

厚生労働省ホームページ、給付人員は、厚生労働省「福祉行政報告例」より作成

5 子どもの発達障害の概要

発達障害とは

発達障害者支援法において、「発達障害」は、「自閉症、アスペルガー症候群その他の広汎性発達障害、学習障害、注意欠陥多動性障害その他これに類する脳機能の障害であってその症状が通常低年齢において発現するものとして政令で定めるもの」（発達障害者支援法第２条）と定義されています。これらのタイプのうちどれにあたるのか、障害の種類を明確に分けて診断することは大変難しいとされています。障害ごとの特徴がそれぞれ少しずつ重なり合っている場合も多いからです。また、年齢や環境により目立つ症状がちがってくるので、診断された時期により、診断名が異なることもあります。

大事なことは、その子どもがどんなことができて、何が苦手なのか、どんな魅力があるのかといった「一人ひとりの特性」に目を向けることです。そして、一人ひとりの特性に合った支援があれば、誰もが自分らしく、生きていくことができるのです。

それぞれの障害の特性

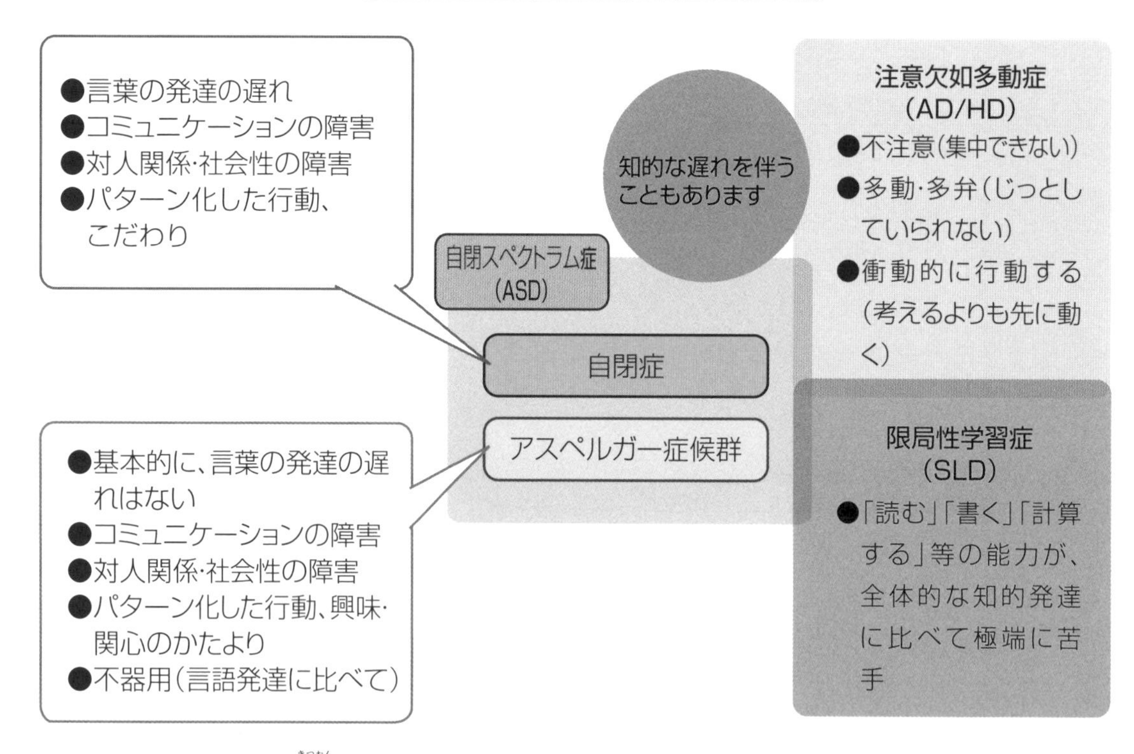

※１　このほか、トゥレット症や吃音（きつおん）（症）なども発達障害に含まれる。
※２　図中の障害名は DSM-5-TR を参考としている。

発達障害情報・支援センターのホームページ「発達障害とは」を一部改変

6 医療的ケア児及びその家族に対する支援

医学の進歩を背景として、医療的ケアが日常的に必要な子どもたち（医療的ケア児）やその家族への支援は、医療、福祉、保健、子育て支援、教育等の多職種連携が必要不可欠です。

医療的ケア児について

- 医療的ケア児とは、医学の進歩を背景として、NICU（新生児特定集中治療室）等に長期入院した後、引き続き人工呼吸器や胃ろう等を使用し、たんの吸引や経管栄養などの医療的ケアが日常的に必要な児童のこと。
- 全国の医療的ケア児（在宅）は、約2万人〈推計〉である。

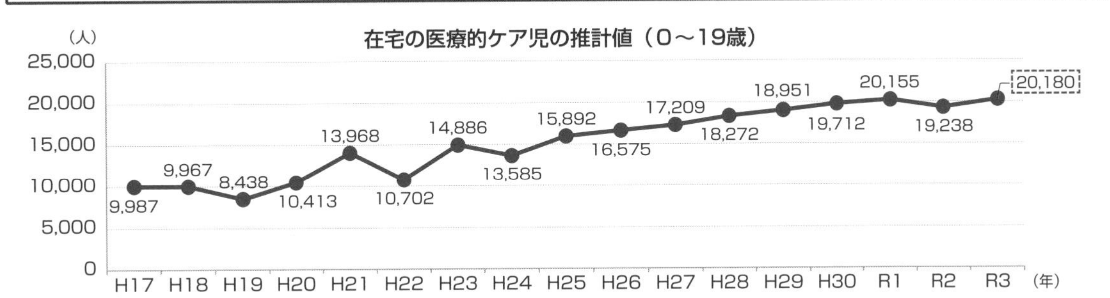

出典：厚生労働科学研究費補助金障害者政策総合研究事業「医療的ケア児に対する実態調査と医療・福祉・保健・教育等の連携に関する研究（田村班）」及び当該研究事業の協力のもと、社会医療診療行為別統計（各年6月審査分）により厚生労働省障害児・発達障害者支援室で作成）

医療的ケア児及びその家族に対する支援に関する法律（令和3年6月18日公布・同年9月18日施行）

第二条　この法律において「医療的ケア」とは、人工呼吸器による呼吸管理、喀痰吸引その他の医療行為をいう。

2　この法律において「医療的ケア児」とは、日常生活及び社会生活を営むために恒常的に医療的ケアを受けることが不可欠である児童（18歳未満の者及び18歳以上の者であって高等学校等（学校教育法に規定する高等学校、中等教育学校の後期課程及び特別支援学校の高等部をいう。）に在籍するものをいう。）をいう。

その他の医療行為とは、
気管切開の管理、
鼻咽頭エアウェイの管理、
酸素療法、
ネブライザーの管理、経管栄養、
中心静脈カテーテルの管理、
皮下注射、血糖測定、
継続的な透析、導尿等

厚生労働省資料

在宅の医療的ケア児とその家族の支援に向けた主な取組

在宅における医療的ケア児とその家族を支えるため、NICU・GCUから在宅へ円滑に移行するための支援や地域における生活の基盤整備等の在宅生活支援、医療的ケア児を受け入れる障害児通所、保育園、学校等の基盤整備といった社会生活支援、経済的支援等の取組が実施されている。

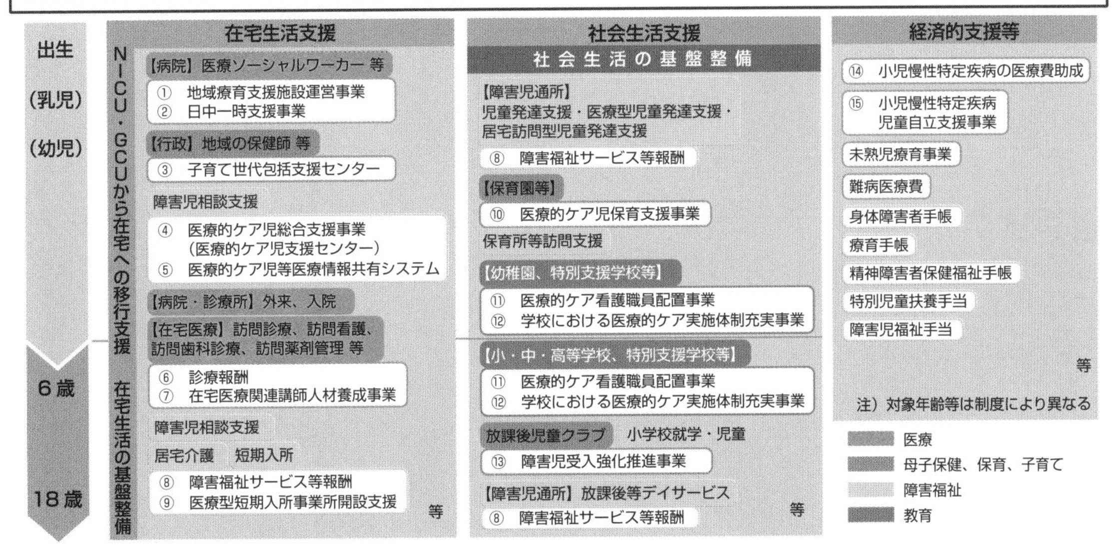

厚生労働省資料

9 子どもの貧困に対する施策

2013（平成 25）年に、貧困の状況にある子どもが健やかに育成される環境を整備するとともに、教育の機会均等を図るため、子どもの貧困対策を総合的に推進することを目的として「子どもの貧困対策の推進に関する法律」が制定されました。子どもの貧困対策は、子どもの将来がその生まれ育った環境によって左右されることのない社会を実現し、貧困が世代を超えて連鎖することのないよう、国及び地方公共団体等、関係機関相互の密接な連携のもとに、総合的な取り組みとして行うものとされました。

1 相対的貧困率の推移

※相対的貧困率：その国の所得中央値の一定割合（50％が一般的。いわゆる「貧困線」）以下の所得しか得ていない世帯員の割合。

相対的貧困率の年次推移

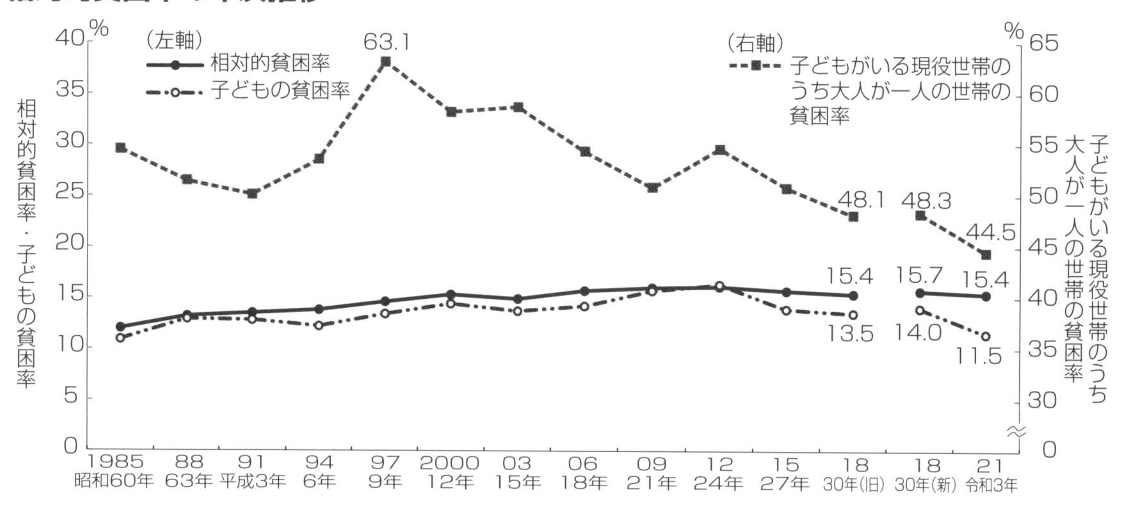

注：1）貧困率は、OECD の作成基準に基づいて算出している。
2）大人とは 18 歳以上の者、子どもとは 17 歳以下の者をいい、現役世帯とは世帯主が 18 歳以上 65 歳未満の世帯をいう。
3）等価可処分所得金額不詳の世帯員は除く。
4）1994（平成6）年の数値は、兵庫県を除いたものである。
5）2015（平成 27）年の数値は、熊本県を除いたものである。
6）2018（平成 30）年の「新基準」は、2015 年に改定された OECD の所得定義の新たな基準で、従来の可処分所得から更に「自動車税・軽自動車税・自動車重量税」、「企業年金の掛金」及び「仕送り額」を差し引いたものである。
7）2021（令和3）年からは、新基準の数値である。

厚生労働省「2022 年 国民生活基礎調査」

check! 子どもの貧困は、特にひとり親世帯で深刻である。数値の低下については、改善したという見方のほかに、貧富の差が広がり多くの国民の所得水準が低下したという見方もあり、とりわけ 2020 年以降のコロナ禍とこれに対応するための子育て世代への給付金が影響しているのではないかという指摘もある。

2 子供の貧困対策に関する大綱（2019（令和元）年11月29日閣議決定）

目的・理念

○現在から将来にわたって、全ての子どもたちが前向きな気持ちで夢や希望を持つことのできる社会の構築を目指す。
○子育てや貧困を家庭のみの責任とするのではなく、地域や社会全体で課題を解決するという意識を強く持ち、子どものことを第一に考えた適切な支援を包括的かつ早期に講じる。

基本的な方針

○親の妊娠・出産期から子どもの社会的自立までの切れ目ない支援
○支援が届いていない、又は届きにくい子ども・家庭への配慮
○地方公共団体による取組の充実

など

子どもの貧困に関する指標

○生活保護世帯に属する子どもの高校・大学等進学率
○高等教育の修学支援新制度の利用者数
○食料又は衣服が買えない経験
○子どもの貧困率
○ひとり親世帯の貧困率

など、39の指標

指標の改善に向けた重点施策

<教育の支援>

○幼児教育・保育の無償化の推進及び質の向上
○地域に開かれた子どもの貧困対策のプラットフォームとしての学校指導・運営体制の構築
- スクールソーシャルワーカーやスクールカウンセラーが機能する体制の構築、少人数指導や習熟度別指導、補習等のための指導体制の充実等を通じた学校教育による学力保障

○高等学校等における修学継続のための支援
- 高校中退の予防のための取組、高校中退後の支援

○大学等進学に対する教育機会の提供
○特に配慮を要する子どもへの支援
○教育費負担の軽減
○地域における学習支援等

<生活の安定に資するための支援>

○親の妊娠・出産期、子どもの乳幼児期における支援
- 特定妊婦等困難を抱えた女性の把握と支援等

○保護者の生活支援
- 保護者の自立支援、保育等の確保 等

○子どもの生活支援
○子どもの就労支援
○住宅に関する支援
○児童養護施設退所者等に関する支援
- 家庭への復帰支援、退所等後の相談支援

○支援体制の強化

<保護者に対する職業生活の安定と向上に資するための就労の支援>

○職業生活の安定と向上のための支援
- 所得向上策の推進、職業と家庭が安心して両立できる働き方の実現

○ひとり親に対する就労支援
○ふたり親世帯を含む困窮世帯等への就労支援

<経済的支援>

○児童手当・児童扶養手当制度の着実な実施
○養育費の確保の推進
○教育費負担の軽減

施策の推進体制等

<子どもの貧困に関する調査研究等>

○子どもの貧困の実態等を把握するための調査研究
○子どもの貧困に関する指標に関する調査研究
○地方公共団体による実態把握の支援

<施策の推進体制等>

○国における推進体制
○地域における施策推進への支援
○官公民の連携・協働プロジェクトの推進、国民運動の展開
○施策の実施状況等の検証・評価
○大綱の見直し

内閣府資料を一部改変

3 子どもの貧困に関する指標

【教育の支援】

- 生活保護世帯に属する子どもの高等学校等進学率
  93.7%（令和3年4月1日現在）
- 生活保護世帯に属する子どもの高等学校等中退率
  3.6%（令和3年4月1日現在）
- 生活保護世帯に属する子どもの大学等進学率
  39.9%（令和3年4月1日現在）
- 児童養護施設の子どもの進学率
  - 中学校卒業後 96.4%（令和2年5月1日現在）
  - 高等学校卒業後 33.0%（令和2年5月1日現在）
- ひとり親家庭の子どもの就園率（保育所・幼稚園等）
  79.8%（令和3年11月1日現在）
- ひとり親家庭の子どもの進学率
  - 中学校卒業後 94.7%（令和3年11月1日現在）
  - 高等学校卒業後 65.3%（令和3年11月1日現在）
- 全世帯の子どもの高等学校中退率 1.2%（令和3年度）
- 全世帯の子どもの高等学校中退者数
  38,928人（令和3年度）
- スクールソーシャルワーカーによる対応実績のある学校の割合
  - 小学校 63.2%（令和3年度）
  - 中学校 68.1%（令和3年度）
- スクールカウンセラーの配置率
  - 小学校 89.9%（令和3年度）
  - 中学校 93.6%（令和3年度）
- 就学援助制度に関する周知状況 82.3%（令和4年度）
- 新入学児童生徒学用品費等の入学前支給の実施状況
  - 小学校 84.9%（令和4年度）
  - 中学校 86.2%（令和4年度）
- 高等教育の修学支援新制度の利用者数
  - 大学 23.0万人（令和3年度）
  - 短期大学 1.6万人（令和3年度）
  - 高等専門学校 0.3万人（令和3年度）
  - 専門学校 7.0万人（令和3年度）

【生活の安定に資するための支援】

- 電気、ガス、水道料金の未払い経験
  - ひとり親世帯（平成29年）
    電気料金 14.8%　ガス料金 17.2%　水道料金 13.8%
  - 子どもがある全世帯（平成29年）
    電気料金 5.3%　ガス料金 6.2%　水道料金 5.3%
- 食料又は衣服が買えない経験
  - ひとり親世帯（平成29年）
    食料が買えない経験 34.9%
    衣服が買えない経験 39.7%
  - 子どもがある全世帯（平成29年）
    食料が買えない経験 16.9%
    衣服が買えない経験 20.9%
- 子どもがある世帯の世帯員で頼れる人がいないと答えた人の割合
  - ひとり親世帯（平成29年）
    重要な事柄の相談 8.9%
    いざというときのお金の援助 25.9%
  - 等価可処分所得第Ⅰ～Ⅲ十分位（平成29年）
    重要な事柄の相談 7.2%
    いざというときのお金の援助 20.4%

【経済的支援】

- 子どもの貧困率
  - 国民生活基礎調査 11.5%（令和3年）
  - 全国家計構造調査　8.3%（令和元年）
- ひとり親世帯の貧困率
  - 国民生活基礎調査 44.5%（令和3年）
  - 全国家計構造調査 57.0%（令和元年）
- ひとり親家庭のうち養育費についての取決めをしている割合
  - 母子世帯 46.7%（令和3年度）
  - 父子世帯 28.3%（令和3年度）
- ひとり親家庭で養育費を受け取っていない子どもの割合
  - 母子世帯 69.8%（令和3年度）
  - 父子世帯 89.6%（令和3年度）

【保護者に対する職業生活の安定と向上に資するための就労の支援】

- ひとり親家庭の親の就業率
  - 母子世帯 83.0%（令和2年）
  - 父子世帯 87.8%（令和2年）
- ひとり親家庭の親の正規の職員・従業員の割合
  - 母子世帯 50.7%（令和2年）
  - 父子世帯 71.4%（令和2年）

子供の貧困対策に関する有識者会議「子供の貧困対策に関する大綱の進捗状況及びこども大綱策定に向けての意見」より作成

[参考] 保育士の役割と基礎データ

1 保育士とは

保育士は児童福祉法において次のように規定されています。

児童福祉法

第18条の4　この法律で、保育士とは、第18条の18第1項の登録を受け、保育士の名称を用いて、専門的知識及び技術をもって、児童の保育及び児童の保護者に対する保育に関する指導を行うことを業とする者をいう。

保育士は、保育所で保育をすることのみが仕事なのではなく、様々な場面での保育及び子どもの保護者に対する支援を行う、いわば「子どもに関する専門職」とされています。

そのため保育士は、保育所のみならず様々な子どもに関する職場で働いています。

また、児童生活支援員、母子支援員（旧・母子指導員）や児童の遊びを指導する者など、保育士の資格をもっていることが、その職に用いられる条件（任用要件）として掲げられている場合もあります。

保育士の活躍する児童福祉施設数及び各施設の従事者数

（人）

	施設数	保育士	生活・児童指導員、生活相談員、生活支援員、児童自立支援専門員	児童生活支援員	母子支援員	児童厚生員（児童の遊びを指導する者）	保健師・助産師・看護師	理学療法士・作業療法士・その他の療法員	医師	栄養士	調理員
乳児院	145	2,880	380	-	-	-	771	59	17	195	421
母子生活支援施設	204	185	98	441	671	6	4	55	16	1	68
保育所等	30,358	393,927	-	-	-	-	13,535	-	1,038	27,185	53,563
地域型保育事業所	7,392	1,999	-	-	-	-	766	-	167	2,345	4,301
児童養護施設	610	7,071	7,736	-	-	41	258	409	56	556	1,828
障害児入所施設	464	2,521	2,922	-	-	-	9,163	1,931	1,078	405	891
児童発達支援センター	794	5,255	2,078	-	-	18	494	1,149	143	336	478
児童心理治療施設	51	168	626	-	-	-	54	272	20	39	92
児童自立支援施設	58	15	1,036	198	-	-	30	35	7	40	102

＝保育士必置施設
＝保育士任意設置施設
＝保育士が任用資格である者が置かれる施設
＝保育士
＝保育士が任用資格となっている職種

2022年10月1日現在

注：従事者数は常勤・非常勤の総数である。
小数点以下第1位を四捨五入して求めた常勤換算数であるため、内訳の合計が「総数」と合わない場合がある。

厚生労働省「令和4年社会福祉施設等調査」より作成

2 保育士資格の取得方法

保育士資格の取得方法は、①指定保育士養成施設で所定の課程・科目を履習し卒業する方法、②保育士試験に合格する方法の２通りあり、いずれも都道府県に保育士として登録することにより資格が取得できます。

指定保育士養成施設での保育士資格取得者が、全体の約８割を占めています。

例年、年に２回の保育士試験が実施されます。2回の試験は、4月の筆記試験、7月の実技試験を前期実施分、10 月の筆記試験、12 月の実技試験を後期実施分として実施されます。なお、神奈川県及び大阪府、沖縄県では、地域限定保育士試験（参考①参照）が実施されています。

保育士資格取得方法と取得者数

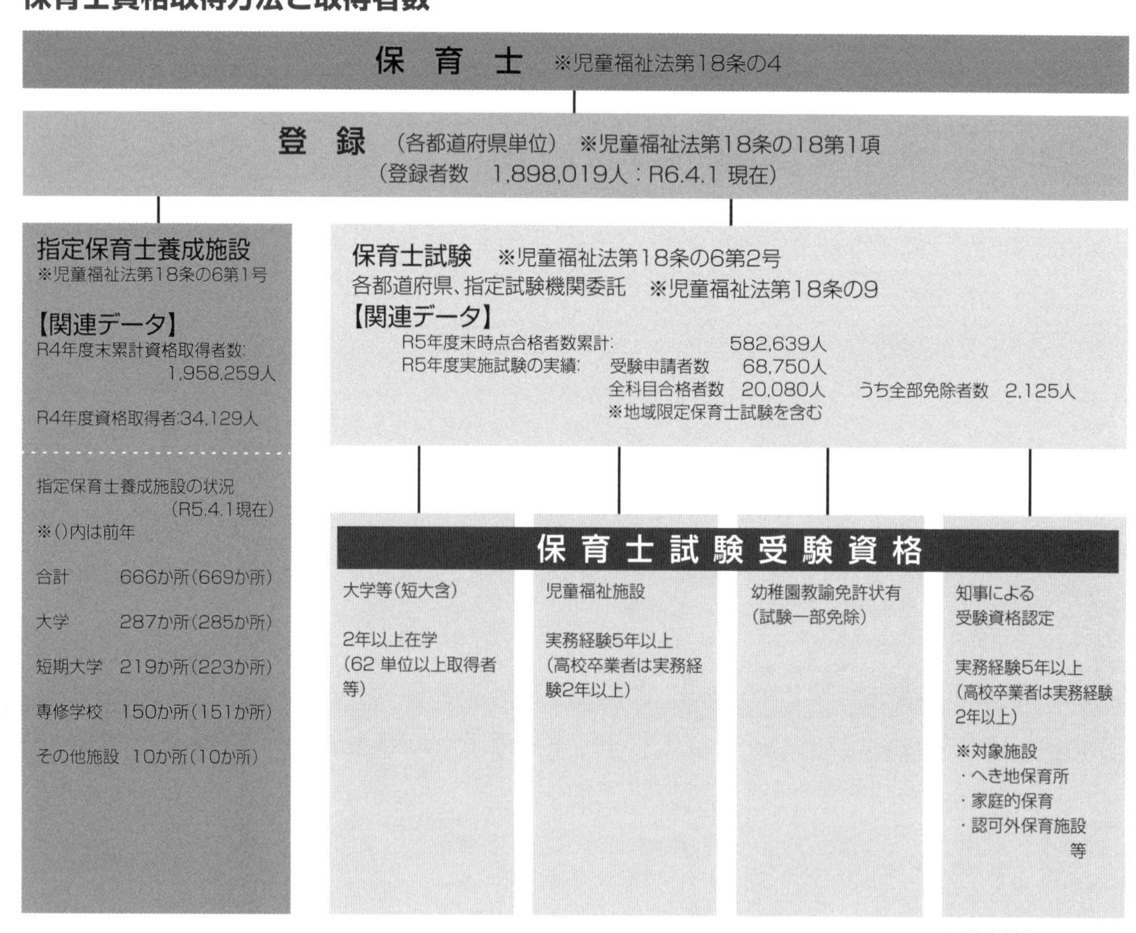

厚生労働省保育課調べ

【参考①】地域限定保育士とは？

①地域限定保育士試験の合格者は、地域限定保育士として登録後、３年間は受験した自治体（国家戦略特区区域内）のみで保育士として働くことができる資格が付与されます。
②地域限定保育士の登録を行ってから、３年を経過すれば、全国で「保育士」として働くことができます。
③神奈川県及び大阪府、沖縄県で地域限定保育士試験が実施されています。

【参考②】教員免許状の取得方法

1．大学の教職課程を履修して取得する場合

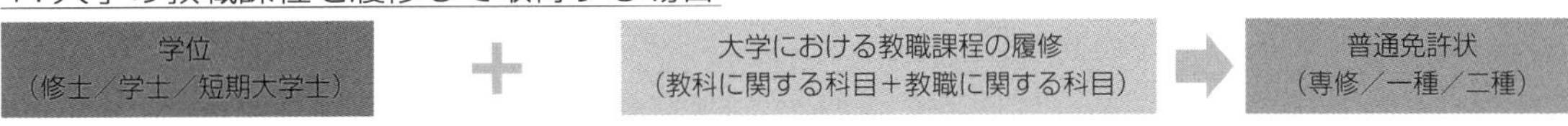

2．教育職員検定で取得する場合（主に現職教員が既に保有している免許状に加え新たな免許状を取得しようとする場合に活用）

① 上位の免許状を取得する場合（二種→一種）
② 他の教科の免許状を取得しようとする場合（高校地歴＋高校公民）
③ 異なる学校種の免許状を取得しようとする場合（中学校＋小学校）

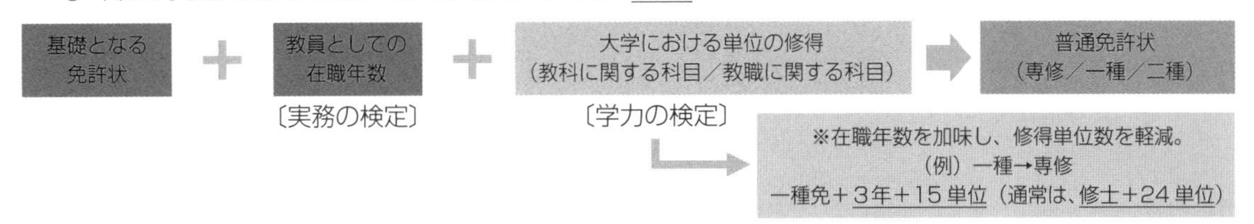

3．令和6年度末までの特例措置〔①幼保連携型認定こども園の円滑な導入〕

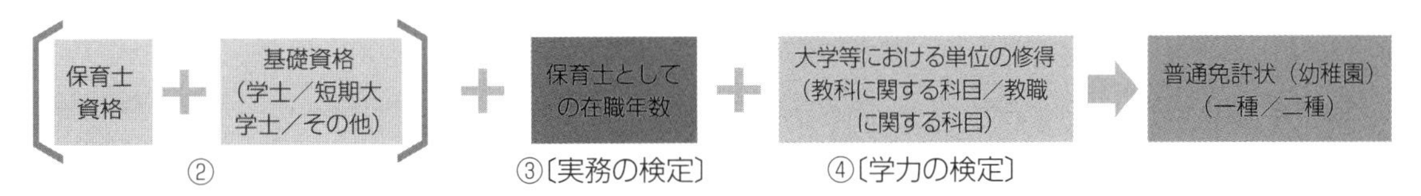

3 待機児童対策について

保育所等待機児童数及び保育所等利用率の推移

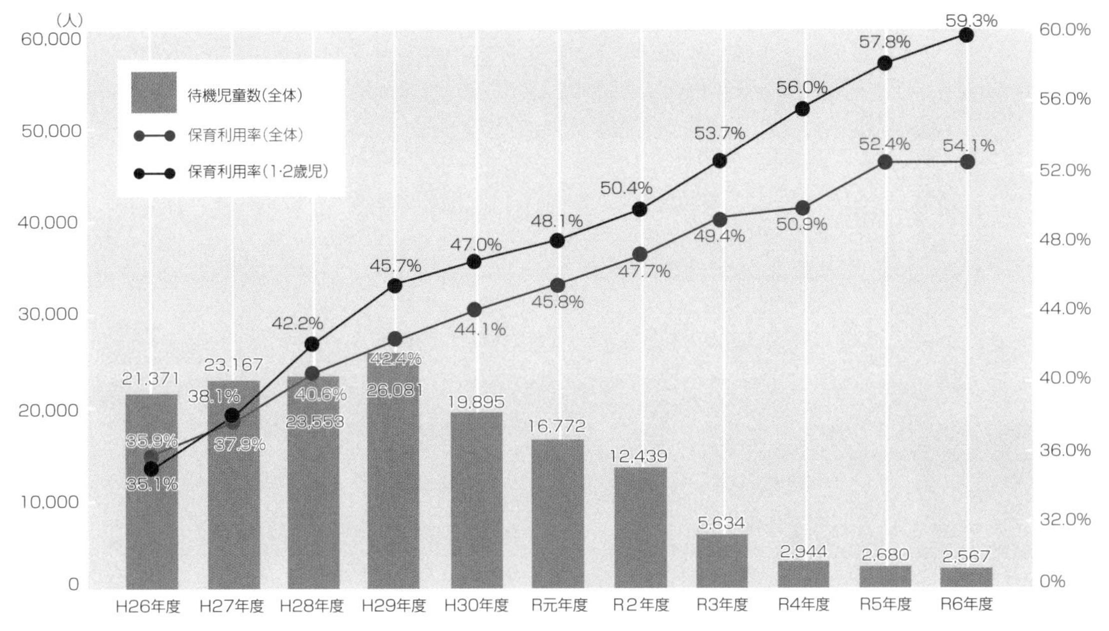

厚生労働省「保育所等関連状況取りまとめ（令和5年4月1日）」

4 切れ目のない保育のための対策（概要）

	0　歳	1・2歳	3歳以降

保育の受け皿整備が必要

0〜5歳児の受け皿整備
- 認可保育園（分園を含む）、認定こども園、企業主導型保育の整備促進
- 認可外保育施設や地方単独保育施設の認可化移行支援

0歳児への対応
- 0歳児期の育児休業終了後の「入園予約制」の導入支援
- 保育サービスと接続のとれた育休期間の延長の検討

3〜5歳児の受け皿整備

3歳児以降の継続的な保育サービス確保（「3歳の壁」打破）に向けて、
- 3歳以上に特化した拠点保育園に3歳未満対象の「サテライト型小規模保育事業所」の設置支援
- 幼稚園型の一時預かり等の実施

0〜2歳児の受け皿整備

待機児童の7割以上を占める1・2歳児の受け皿確保に向けて、
- 小規模保育や家庭的保育（保育ママ）の整備
- 幼稚園の小規模保育事業所の設置及び認定こども園への移行支援

保育人材の確保が難しい 保育の質の確保が必要

保育人材の確保・保育サービスの質の確保
- ベースアップを中心とした賃金引上げの推進
- 賃金台帳のチェックの導入による賃上げ実施の推進
- ＩＣＴ化の推進による保育士の保育業務への専念化
- 保育補助者について、雇上げの支援及び保育士資格取得の推進
- 修学資金の貸付等による新規人材の確保・育成
- 潜在保育士の再就職支援
- 保育指針の改定
- 保育関連事業主の雇用管理の改善（魅力ある職場づくり）
- 非正規雇用の保育士のキャリアアップの推進

地域住民の協力が必要

保護者や地域のニーズへの対応
- 保護者のニーズをかなえる「保育コンシェルジュ」の展開
- 保育園等の設置の際に地域住民との合意形成等を進める「地域連携コーディネーター」の機能強化
- 利用調整に係る市区町村の基準の公表

厚生労働省資料より抜粋

5 保育士・保育所支援センターについて

目的
保育士の専門性向上と質の高い人材を安定的に確保する観点から、潜在保育士の就職や保育所の潜在保育士活用支援等を行うことを目的とする。

主な業務
- 対潜在保育士：再就職に関する相談・就職あっせん、潜在保育士の掘り起こし（保育士登録名簿を活用した情報発信等）
- 対保育所：潜在保育士の活用方法（シフト、求人条件、マッチング等）に関する助言
- 対保育士：保育所で働く保育士や保育士資格取得を希望する者からの相談への対応（職場体験など）
- 人材バンク機能等の活用：保育所への就職・離職時等に保育士・保育所支援センターに登録し、①就業継続支援、②離職後の再就職支援（求人情報の提供や研修情報の提供）等を継続的に行うことのできる仕組みを構築

設置状況
46 都道府県（72 か所）設置（令和５年６月現在）

※ 都道府県・指定都市・中核市が直営又は民間団体等に委託して実施

保育士・保育所支援センターの取り組み例

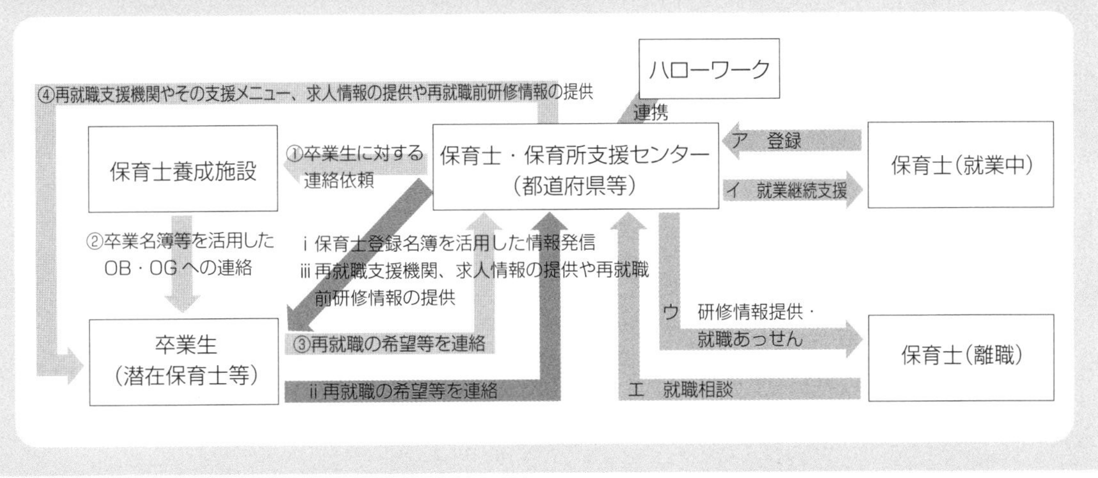

厚生労働省「第 1 回保育士等確保対策検討会（平成 27 年 11 月 9 日）参考資料 1」を一部改変
センター設置状況は厚生労働省ホームページより

編集者略歴

宮島 清

元 日本社会事業大学専門職大学院教授。専門は、子ども家庭福祉とソーシャルワーク。明治学院大学社会学部社会福祉学科卒業。社会福祉士。埼玉県福祉職、日本社会事業大学准教授・教授を経て、2022（令和４）年４月から2024（令和６）年３月まで再び相談支援業務に携わる。現在は、自治体や児童福祉施設等で働く実践者の育成支援を主な活動としている。著書には、『最新 社会福祉士養成講座３ 児童・家庭福祉』（中央法規出版、2021（共著））などがある。

山縣 文治

関西大学人間健康学部教授。大阪市立大学大学院生活科学研究科後期博士課程中退後、大阪市立大学教授を経て、2012（平成24）年より現職。専門は、子ども家庭福祉。とりわけ、社会的養護、子育て支援に関心をもって研究や実践をしている。社会活動としては、こども家庭庁こども家庭審議会委員、全国社会福祉協議会理事、公益社団法人家庭養護促進協会理事長などを務める。著書には、『子どもの人権をどうまもるのか 福祉施策と実践を学ぶ』（放送大学教育振興会、2021）、『保育者のための子ども虐待Ｑ＆Ａ 予防のために知っておきたいこと』（みらい、2021）などがある。

ひと目でわかる
保育者・ソーシャルワーカーのための
子ども家庭福祉データブック 2025

2024年12月10日　発行

監　　修　一般社団法人 全国保育士養成協議会
編　　集　宮島 清・山縣 文治
発 行 者　荘村 明彦
発 行 所　中央法規出版株式会社
〒110-0016　東京都台東区台東 3-29-1　中央法規ビル
TEL 03-6387-3196
https://www.chuohoki.co.jp/

印刷・製本　TOPPANクロレ株式会社
ブックデザイン　株式会社あーす

ISBN978-4-8243-0148-2

本書の内容に関するご質問については、下記URLから「お問い合わせフォーム」にご入力いただきますようお願いいたします。
https://www.chuohoki.co.jp/contact/

A148